Gema

Milena Busquets

Gema

EDITORIAL ANAGRAMA

BARCELONA

Ilustración: «Correu cal·ligràfic», © Març Rabal

Primera edición: febrero 2021

Diseño de la colección: Julio Vivas y Estudio A

© Milena Busquets, 2021
    Publicado de acuerdo con Pontas Literary & Film Agency

© EDITORIAL ANAGRAMA, S. A., 2021
    Pedró de la Creu, 58
    08034 Barcelona

ISBN: 978-84-339-9915-3
Depósito Legal: B. 20281-2020

Printed in Spain

Romanyà Valls, S. A., Sant Joan Baptista, 35
08789 La Torre de Claramunt

1

Para mí Gema siempre ha sido el nombre de una muerta. Bueno, no siempre, desde hace unos treinta años, que es casi lo mismo. Murió a los quince. Dos años después murió mi padre. Sin embargo, sobre su nombre no cayó ninguna maldición. Soy capaz de oír a mis hijos interpelar a sus padres sin pensar en el mío, sin sentir ninguna pena ni extrañeza, y cuando alguien pronuncia su nombre, «Esteban», solo pienso: «Mira, como papá.» En cambio, cuando me presentan a alguna mujer llamada Gema y al levantar la mirada no reconozco la hermosa melena oscura, la tez pálida y los ojos inquisitivos y burlones de mi amiga, pienso: «No, tú no eres Gema. En absoluto.»

¿Qué quiere decir Gema? ¿Piedra? ¿Como piedra preciosa? ¿Una gema? *Gem,* ¿en inglés? En Inglaterra no hay nadie que se llame Gem, pero creo que hay unas cuantas «Gemas».

Ambas muertes tuvieron lugar en el mismo escenario, el viejo patio del colegio, aunque luego los dos fallecieron en un hospital, claro.

Mamá vino a la escuela especialmente para contarme que papá estaba gravemente enfermo, y a continuación tomó un avión para ir a pasar el fin de semana a Londres, con unos amigos. Me hizo salir de clase y en el patio vacío me comunicó que lo que iba a ser una operación rutinaria de estómago se había convertido en una sentencia de muerte. No se le ocurrió cancelar el viaje. «Nunca pensé que te afectaría tanto», se excusó después en un millón de ocasiones a lo largo de los años.

No había vuelto a pisar aquel patio. Había pasado por delante algunas veces, no muchas, porque a pesar de no estar muy lejos de mi casa ya no formaba parte de ninguno de mis circuitos habituales. Todos tenemos tres o cuatro caminos que siempre tomamos, para ir al centro, para ir al colegio, para ir a Cadaqués, para enamorarnos, para regresar. Si los marcásemos en un mapa con un bolígrafo rojo, como se marcan las venas en algunos dibujos anatómicos del cuerpo humano, veríamos que son casi siempre los mismos, que pasamos la vida entera en una misma mano, yendo y viniendo del índice al pulgar y del pulgar al índice o recorriendo el fémur de arriba abajo una y otra vez.

Descubrí que mi madre estaba enamorada del que sería su último amor un día regresando a casa en coche después de haber ido de compras, cuando me pidió que alterase nuestro recorrido habitual y subiese por otra calle porque alguien le había dicho que así llegaríamos antes.

–Qué idea tan rara –exclamé mientras le obedecía–. Pero si siempre vamos por allí. Es nuestro camino.

Y de repente, en el mismo instante en que la idea disparatada, fulgurante y cierta se me pasó por la cabeza:

–No estarás enamorada, ¿verdad?

No hay demasiadas cosas que alteren el curso de nuestros pasos, tan firmes y decididos.

El patio era de cemento y estaba rodeado de unos edificios prácticos, sobrios y un poco mazacotes de color arena. Aunque quizá, de todos los sitios del mundo, el que menos importa que sea feo sea el colegio. Los adolescentes solo se preocupan por su propia apariencia –y por la de sus padres mientras la consideran una extensión de la suya– y jamás oí a ningún alumno quejarse por estudiar en un edificio tocho y sin gracia. Nos hubiese dado lo mismo estar en un palacio. La única vegetación consistía en unos setos bajos colocados en lugares estratégicos –para dividir o señalar distintos espacios, a la entrada de la escuela, entre el patio superior y el campo de deportes–, unos matorrales con hojas de un verde intenso y reluciente que los estudiantes arrancábamos y desmenuzábamos distraída y concienzudamente, como años más tarde fumaríamos cigarrillos y miraríamos de reojo a los chicos, dejando a nuestros pies un mosaico verde muy poco ecológico. El día que la dirección del colegio se percató de que estábamos deforestando el patio mandó una circular en la que se prohibía arrancar una sola hoja del recinto estudiantil. Una amplia escalera de piedra, vestigio tal vez de la finca que el colegio había venido a sustituir, descendía hasta el patio inferior, donde estaban la cantina, la pista de atletismo, el gimnasio y las duchas. Allí, delante del árbol más alto del colegio, una palmera seca y recta como un palo que parecía querer empujar el cielo, nos hacían también las fotos anuales de la clase.

Siempre nos avisaban con unos días de antelación para que tuviésemos tiempo de planificar un atuendo pulcro y adecuado, pero como éramos adolescentes y por lo tanto nos sentíamos a la vez los más guapos y los más feos del mundo, no hacíamos ni caso. Todos íbamos vestidos como siempre.

Quizá sea por eso por lo que esas fotos encierran a menudo una profunda verdad, en ellas se vislumbra borrosamente, en medio de la niebla,

10

como en una bola de cristal, quiénes somos y seremos. Si uno se fija, ya todo está allí: la determinación, la curiosidad, la timidez, la alegría, la confianza, el orgullo. Nadie escapa en esas fotos, deberían ser nuestras fotos de carnet hasta la eternidad.

Aquel día había ido a comer a casa, las clases empezaban a las tres y media, pero había llegado antes para pasar un rato con mis amigas en el patio. Casi no teníamos amigos chicos, no había color, una amaba locamente a sus amigas, ellos en cambio parecían ir siempre a la zaga. Eran amigos precisamente porque no podíamos amarlos, porque los hombres con los que soñábamos eran más extraños, más indiferentes, más rubios, más morenos, más oscuros y tenebrosos. Nuestras amigas, sin embargo, a pesar de los conflictos, las peleas y los disgustos, eran la perfección personificada.

Empezaba a hacer calor, el cielo estaba despejado y las copas de los árboles se habían cubierto de diminutas hojas verdes que una brisa suave, levemente marina, agitaba.

En un primer momento no la vi, hacía meses que Gema no venía al colegio, y ya no éramos tan amigas como antes. En el Liceo Francés pensaban que deshacer las clases cada año y mezclar a los alumnos servía para desarrollar la sociabilidad y la capacidad de adaptación. Hacía años que no compartía aula con mi antigua amiga de infancia, y aunque las dos estábamos metidas en la misma búsqueda fundamental, averiguar quiénes éramos, habíamos tomado direcciones muy diferentes para descubrirlo: yo la de la rebelión, ella la de la cautela.

Nos habían dicho que estaba enferma, había oído rumores, pero en mi vida cotidiana no había cambiado nada, no había ningún pupitre vacío, ningún silencio incómodo al pasar lista, ninguna sensación de ausencia. Solo sentía un ligero malestar cuando pensaba en ella o cuando, con los ojos muy abiertos, elucubraba con mis amigas sobre su dolencia, pero no era más que una nubecita gris en el horizonte despejado y radiante de la adolescencia.

Estaba muy erguida. Parece más alta, pensé. ¡Y qué pálida está! Siempre había sido muy blanca, pero su tez, antes lechosa y sonrosada, igual a la de las princesas de los cuentos de hadas, había virado al gris. Era como si un velo color humo se hubiese posado sobre su rostro confiriéndole un tono ceniciento y apagado; solo relucían, arrasados y líquidos, sus ojos (son lo último que se muere, los ojos). Sus mejillas, redonditas y mullidas, se habían fundido, los pómulos le sobresalían como navajas y la nariz, que siempre había sido larga y fina, se había vuelto un poco aguileña. Era como si un vampiro le hubiese clavado una pajita en el brazo y se la hubiese bebido entera, pensé, hasta la última gota.

Debo ir a saludarla, me dije, no queda más remedio. Muchos años después me ocurrió lo mismo con Ana, una de las mejores amigas de mi madre, al enterarme de que estaba en el hospital («tengo que ir a verla inmediatamente, ahora, sin dilación, no queda más remedio»), pero por entonces ya había vivido lo suficiente para saber que no iba a saludarla sino a despedirme. No lo sabía en el caso de Gema, nunca me había despedido de nadie.

Así que me aparté de mi grupito de amigas parlanchinas y me dirigí hacia ella con decisión y pánico, supongo que, aunque suene contradictorio, se podría decir que hui hacia ella. Por primera vez en mi vida me comporté como un adulto, como pensaba que se comportaban los adultos. Éramos amigas desde los cuatro años, la había visto oficiar una boda en el patio de los pequeños, fabricamos los anillos de los novios unas horas antes en el refectorio utilizando una piel de plátano –nos pareció la idea más genial del mundo–. Había sido invitada a los formidables banquetes de cumpleaños que le preparaba su padre en el restaurante. Sabía que estaba enamorada en secreto de un chico pelirrojo y despistado que tocaba la guitarra. Conocía su risa escandalosa. Todavía resuena, aunque ya muy lejana, en mis oídos.

A los quince años ya sabemos todo lo que sabremos sobre la amistad, no mejoramos como amigos, en todo caso empeoramos. El amor sentimental tal vez se pueda ir perfeccionando con el tiempo, pero la amistad no, la amistad alcanza su plenitud radiante y absoluta en la infancia. Así que me puse a su lado y dije su nombre en voz baja, Gema, Gema. Entonces ella se dio la vuelta y me miró con dulzura. No pareció sorprendida de verme, fue amable y cariñosa como siempre, debajo de aquel disfraz de bruja de las tinieblas, seguía siendo ella. No hablamos de nada importante o interesante, nos comportamos como dos adultos que se encuentran por la calle y uno de ellos está gravemente enfermo.

—¡Ah! ¡Tienes buen aspecto! —le dije yo, la inmortal.

—Sí, sí, estoy mejor, mucho mejor, gracias —me contestó.

—¡Qué alegría verte!

—Sí. —Sonrió.

—A partir de ahora todo irá bien, ya verás.

—Claro que sí.

—Y con este buen tiempo —añadí, levantando la nariz hacia el cielo.

—Sí, sí, hace muy buen día, parece que ha llegado la primavera —dijo ella.

Nos comportamos como adultos, no dijimos

nada de lo que pensábamos. Nuestros padres y todas las personas responsables de nuestra esmerada educación se hubiesen sentido orgullosos de nosotras, ni ellos mismos lo hubiesen hecho mejor. No volví a verla nunca más.

2

Óscar no quería ir a cortarse el pelo. Durante años había ido a la peluquería encantado de la vida. El gesto, casi adulto, de placer y relajación que se le dibujaba en el rostro cuando antes de aclararle el pelo, con la cabeza todavía llena de espuma, la peluquera le hacía un masaje siempre me hacía sonreír. «Será un disfrutón, como nosotros», decíamos con su padre. Pero de pronto un día, influenciado por algún rapero o deportista, decidió que se quería dejar el pelo largo. Como ya tenía once años y era muy terco y presumido, yo había decidido no meterme en sus decisiones estilísticas. De todos modos, la mayoría de los días iba mejor vestido que yo. Cuando me hablaba de posibles tatuajes o de agujerearse una oreja, le respondía que esos eran asuntos para tratar a partir de los dieciocho años, no antes, como sacarse el carnet de conducir o ir a votar.

Lo miré con un poco de pena, sentado en el sofá, de perfil, jugando y aparentemente hablando con el televisor. ¡Con lo guapo que es!, pensé. Unos días antes, su padre lo había convencido por fin para ir a cortarse las puntas a la peluquería del barrio, yo era la máxima defensora de la vida de barrio –pasaba semanas sin salir del mío– para todo menos para lo importante. Así que Óscar había salido de la peluquería china de la esquina con un lado del flequillo más largo que el otro y con unos extraños tirabuzones enmarcándole la cara. No pude evitar preguntarle a su padre si por casualidad habían ido a una peluquería especializada en cortes para rabinos, pero no le hizo ninguna gracia. A veces se notaba que hacía un esfuerzo sobrehumano para que nada de lo que yo dijera le hiciese gracia. En cambio, cuando le contaba alguna desventura, siempre opinaba que el que me había agraviado tenía toda la razón del mundo. No hay nada tan difícil como hacer reír a un exnovio cuando todavía te quiere.

En cambio, Marc, mi hijo mayor, que acababa de cumplir diecisiete años, se arreglaba el pelo solo desde que era pequeño. Le había pedido un millón de veces que nos cortase las puntas a su hermano y a mí, incluso le había comprado unas bonitas tijeras de peluquero profesional, doradas y rutilantes, y le había ofrecido dinero para cortarme el pelo.

Pero mis hijos no eran sobornables, ni especialmente caprichosos, ya lo tenían todo. Un día, maravillada ante la armonía perfecta de sus rizos, redondos y rubios como granos de uva al sol, le pregunté cómo se igualaba los mechones de la nuca.

–Pues al tacto, ¿cómo quieres que me los corte si no? –respondió como si se tratase de una obviedad.

Ningún hombre había logrado hacerme sentir estúpida, pero para mis hijos era un pozo sin fondo de ineptitud práctica que yo, por otro lado, no tenía la menor intención de corregir, después de todo, ¿quién sabía abrir el capó del coche, hacer patatas fritas perfectas y encontrar las cadenas de pago en el televisor? En cambio, cuando compartía con ellos mi auténtica inquietud, no sé escribir, no sé escribir, no sé escribir, se abrazaban y rodaban por la alfombra muertos de risa.

–Me voy al teatro –dije–, no volveré tarde.

Ninguno de los dos me contestó, así que lo repetí un par de veces más, «me voy, me voy». Mis hijos vivían con unos cascos permanentemente pegados a las orejas, nunca estaba segura de que me hubiesen oído, y la mayor parte de las cosas que decía quedaban en suspenso. ¿Me habrán oído?, me preguntaba mientras los observaba atentamente en busca de alguna señal de reconocimiento. Nuestras conversaciones casi nunca eran como un partido de tenis, pim pam, pim pam, se parecían más a una travesía por mar en un día de viento.

La llegada de los cascos había coincidido con las primeras clases de piano de Marc. Yo nunca le habría inscrito a clases de música porque en casa nadie había tenido el menor oído musical, más bien todo lo contrario, pero un día vino a visitarnos el vecino de abajo, Bosco, que era un gran melómano e incluso cantaba en una coral. Mientras tomábamos el té, me contó que Marc se había descargado una aplicación para tocar el piano y que estaba aprendiendo por su cuenta. Como a cortarse el pelo, pensé yo. ¡Qué extraños eran los hijos, qué ilusión hacía descubrir en ellos cualidades inexistentes en sus progenitores! A través de ellos había conocido mejor a sus padres. Cualidades que en los padres solo estaban latentes, medio dormidas o incluso ocultas, eclosionaban en los hijos con extraordinaria fuerza y vitalidad. La coquetería y el infalible ojo de Óscar, su curiosidad y capacidad para captar la esencia de una persona en tres minutos, la terquedad de ambos (a mí se me podía convencer de casi cualquier cosa). El sentido del deber de Marc, sus silencios, su vida profunda e insondable, su infinita amabilidad con los extraños; el ligero esnobismo –achacable a mí más que a su padre– del uno y la indiferencia a las apariencias del otro; el sentido del humor de los dos. Sus defectos –cierto egoísmo e indiferencia por muchas de las cosas que no les afectaban de un modo directo– resultaban menos interesantes, ya que eran comunes a la mayoría de las personas de su edad y, por lo tanto, esperaba yo, transitorios y perdonables. Poder observar cómo aquellos dos niños se convertían en adultos me parecía un experimento tan apasionante como la llegada del hombre a la Luna.

–¿Por qué no lo apuntas a la escuela de música del barrio? Mis hijas van y están contentas –sugirió Bosco.

Yo ignoraba que Marc se hubiese descargado un curso de piano. Evitaba mirar las pantallas de los aparatos electrónicos de mis hijos, siempre temía que estuviesen haciendo alguna de las cosas horripilantes y maléficas que según los periódicos y los psicólogos infantiles se podían hacer desde un ordenador. Nunca había sentido el menor deseo de saber más de lo que los demás querían contarme. No me parecía que el ansia por conocer hasta el último detalle de vida secreta de las personas amadas fuese una verdadera muestra de cariño o de interés. ¿Acaso no era más bien una falta de confianza, una señal de ingenuidad y un deseo oculto de controlar al otro? ¿Acaso no era importante también el pudor?

En el dispositivo musical que compartíamos, la música moderna y comercial me correspondía a mí, mientras la clásica y refinada era de Marc. Algunas veces, por casualidad, mientras intentaba poner alguna canción alegre para ir a hacer la compra o para conducir, se colaba un fragmento maravilloso de música clásica y me quedaba unos instantes petrificada, como si escuchase una llamada lejana, el tañer de unas campanas, pero me alejaba muy deprisa, me parecía que ya no tenía edad ni tiempo para otro gran amor.

Al principio, Marc realizaba sus prácticas de piano sin cascos, pero un día que intentaba trabajar le pedí que se los pusiese y, desde entonces, no volvió nunca más a tocar el piano sin silenciarlo antes. De nada sirvieron mis súplicas y mis falsas amenazas. Después de dos o tres años de silencio, durante los cuales aproveché para escribir un libro, pensé que igual mi hijo no estaba tan dotado para el piano como afirmaba nuestro musical vecino y que quizá le diese vergüenza tocar en público. El primo Álex había empezado a jugar al tenis a los cuatro años y siempre decía que le encantaba, mis abuelos incluso le hicieron socio del Real Club de Tenis. Hasta que un día, por casualidad, mi tía pasó por delante de la escuela y decidió entrar para

21

saber cómo iban las clases. El profesor de tenis le informó de que Álex no había avanzado ni un solo curso, seguía en la misma clase que el primer año. Nadie de la familia dijo nada, claro, pero tampoco nos extrañó que a los dieciocho años vendiese su carnet de socio para comprarse una moto.

No era el caso de Marc, como a partir de un cierto momento (cuando ya tuvo el nivel suficiente) pude comprobar en los conciertos trimestrales de la escuela de música. Los recitales se celebraban en un centro para la tercera edad, un gran salón repleto de obras de arte que intentaban demostrar que todos llevamos un artista dentro. La primera vez que fui a verle tocar estaba tan nerviosa que pensé que me iba a desmayar. También me preocupaba la posibilidad de que, llegado el momento, no supiese encender la cámara de vídeo del móvil. Al final todo salió bien, Marc tocó durante unos minutos una especie de marcha contundente y heroica, muy apasionada y un poco rígida, como él. No se equivocó ni una sola vez, fue bonito ver su ancha espalda agitada por la música, como por un suave oleaje.

Entonces me acerqué a la puerta de su habitación y llamé con suavidad.

—¿Quéeeeeee? —respondió.

—Me voy al teatro —le dije—. Tu hermano está jugando a los marcianitos en la tele, pedid lo que queráis para cenar.

Marc levantó la vista del ordenador, me miró con el ceño fruncido y farfulló una frase de la que solo pude distinguir las palabras «tonta», «playstation», «apestoso», «fresca» y «caradura».

En realidad, a pesar de las quejas de Marc por tener que hacerse cargo de su hermano, les gustaba mucho quedarse solos. Más de una vez, al regresar a casa, me los había encontrado charlando y riendo juntos en el sofá. Se llevaban seis años, en cierto modo, debido a la diferencia de edad, ambos habían podido disfrutar de algunos de los privilegios de ser hijo único sin necesidad de renunciar a la diversión de ser dos, la camaradería y la posibilidad de aliarse contra mí. Cuando nació Óscar, Marc le escribió una carta, «Bienvenido al planeta Tierra», decía. Ambos, y también sus respectivos padres, me acusaban de haberla perdido, pero yo sabía que en algún lugar tenía que estar, probablemente en una de las cajas todavía sin deshacer de la última mudanza, y que si algún día la necesitábamos, aparecería como por arte de magia.

3

El último sol de la tarde acarició mis párpados. Había días en que todavía me sentía extraordinariamente fuerte, me gustaba andar, a mi cuerpo le gustaba andar y lo sacaba a pasear a menudo. En los días buenos, caminaba con pasos rápidos y largos que parecían propulsarme hacia el cielo, descendía veloz para avanzar y en cuanto el pie delantero volvía a tocar el suelo, me impulsaba hacia delante y hacia arriba como con un resorte. Sentía los músculos de las piernas, dóciles y flexibles, estirarse y alargarse. Me había servido bien mi cuerpo, el afecto que sentía por él solo podía compararse con el que había sentido por alguno de mis perros. A veces lo olvidaba durante un rato, en los meses de invierno o cuando no estaba enamorada. Y recuperarlo de nuevo, descubrir de repente mis piernas enroscadas como serpientes o mis pies aplastados y largos («parece que te los haya pisado un elefante», decía siempre el padre de Marc) me ponía de tan buen humor como ver un cachorro a mis pies.

Llegué al teatro con el tiempo justo y entré en la sala con la platea a oscuras. Era la última representación de la obra de Bruno, llevaban casi un año en cartel y las críticas habían sido muy buenas. En otoño se irían de gira, primero a Madrid y después por otras ciudades. El éxito les había pillado por sorpresa, después de casi diez años representando con empeño y sensibilidad teatro de texto, en su mayoría obras clásicas, habían puesto en escena un texto breve para dos personajes escrito por Bruno y que interpretaba él mismo junto a una de las actrices más veteranas de la compañía. Aquel diálogo irónico, sutil y un poco costumbrista entre un acaudalado joven a punto de casarse y su alocada tía, no solo había llamado la atención del reducido público que frecuentaba los teatros sino que se había convertido en una especie de fenómeno social. Los críticos lo habían comparado con Oscar Wilde, y los jóvenes –que en algunos casos no habían pisado un teatro en su vida– habían sucumbido a la irreverencia y la originalidad del texto y se habían enamorado de unos personajes que, a pesar de ser egocéntricos, retorcidos y no demasiado inteligentes, acababan resultando interesantes y entrañables.

Yo ya había ido a ver la obra cuatro veces. Me había encantado, y eso que el teatro en general casi nunca me interesaba demasiado. «Es el único género del mundo que gira en torno a un solo creador: Shakespeare», les decía a mis amigas del mundo del espectáculo. Sin él habría perecido mucho tiempo atrás, o con la invención del cine, más ágil y divertido. Todavía había teatro porque Shakespeare había existido. ¡Eso ni siquiera ocurre con Messi o con Miguel Ángel!, exclamaba. En realidad, si había ido tantas veces a ver la obra era porque estaba un poco enamorada de Bruno. Cuando salió a escena, un leve estremecimiento recorrió la platea. El año anterior había participado en una serie de televisión sobre policías que había tenido mucho éxito y la gente iba al teatro a verlo a él. Parecía un poco cansado, una leve sombra púrpura debajo de sus tenebrosos ojos castaños delataba una noche en vela, jugando al póquer, bebiendo o deambulando en moto por la ciudad a altas horas de la madrugada.

¡Casi dos años desde la primera vez que nos vimos!, pensé mirando a mi alrededor. Me pareció que había una mayoría de mujeres, aunque eso no era inusual; en el ámbito doméstico la cultura (como la educación de los hijos) era a menudo un asunto de mujeres. Había conocido a Bruno a través de Violeta, la directora de la compañía de teatro, una tarde en una terraza del parque de la Ciudadela. Estaban comenzando los ensayos de la obra y Barcelona se plegaba, complaciente y perezosa, a otro caluroso verano. Había quedado con Violeta y con un amigo pintor con el que había salido un par de veces y que se iba a encargar del diseño de los decorados. En un primer momento no reparé en Bruno, que me miraba con curiosidad y sorpresa. Estaba acostumbrado a que lo reconociesen y a que lo admirasen, era muy guapo, tenía un rostro abierto, intenso y viril, de frente ancha y ojos tan separados como los de un ciervo, que parecía hecho especialmente para ser fotografiado o filmado. No hablamos mucho en aquel primer encuentro.

–Te he leído –me dijo.

–Y yo te he visto –respondí.

–Espero ansioso tu próxima novela.

–¿Ansioso? –dije yo. Y nos echamos a reír los dos–. Y yo no me perderé el estreno de vuestra obra.

Y regresamos a nuestras respectivas conversaciones, yo con el pintor de decorados y él con Violeta. No volví a mirarlo hasta que nos levantamos para marcharnos. Al dirigirnos hacia la salida del parque, Violeta y yo nos quedamos rezagadas mientras ellos se adelantaban unos metros. Al verlos caminar delante de nosotros me di cuenta de que se parecían, Bruno tenía casi la misma estatura que el pintor, ambos eran esbeltos, proporcionados y muy altos, pero Bruno tenía las espaldas un poco más anchas, las caderas un poco más estrechas, los andares más sueltos y confiados. Caminaba como si pensase que el mundo era suyo, como si paseara por la orilla del mar y no hubiese decidido todavía a qué buque subirse. De pronto sentí en mi interior una oleada de alegría y de optimismo. Era un poco más joven que yo, pero yo tenía la sensación de que los hombres sobrevolaban el tiempo, o eran niños o eran adultos, casi nunca había un término medio, como si hubiesen nacido con una edad fija. Nosotras descubríamos qué edad teníamos verdaderamente a los cuarenta años, antes era todo un baile de disfraces.

Y entonces, como una mariposa en medio del soleado parque, ligera y capaz de las piruetas más increíbles, mi interés y mi curiosidad abandonaron al pintor y fueron a posarse con un delicado batir de alas sobre el actor de mirada tenebrosa. Solo la frivolidad permite ciertos saltos mortales.

En el siguiente bar al que fuimos a sentarnos ya todo había cambiado: el lugar (un bar de barrio normal y corriente, sin ningún interés) me pareció perfecto; los camareros, simpatiquísimos; las almendras que nos trajeron para picar, las más deliciosas que había probado en mi vida. Y todos los temas que iban surgiendo en la conversación resultaban repentinamente apasionantes. «¡Voy a escribir un libro sobre esto!» «¡Y sobre esto!» «¡Y sobre esto también!», aseguraba mientras me atiborraba de frutos secos. La luz hipnótica, tenue y favorecedora de la seducción se había encendido, una llama que actuaba a la vez como una lupa y como un filtro, acentuando y embelleciendo todo lo que deseaba ver y difuminando, hasta hacerlo desaparecer, todo lo que algún día me disgustaría. No es que no lo viese, lo veía perfectamente, pero el deseo de ser feliz era más fuerte. Al cabo de un rato, mi amigo pintor alegó que tenía que acabar un cuadro y desapareció.

Y de ese modo se entremezclaron dos mundos, el del teatro y el de las letras, que a pesar de la proximidad y de las muchas similitudes –egos gigantescos, amores y odios furibundos y una cierta endogamia y tendencia a la exageración– no solían frecuentarse demasiado a menudo. Me divertía llevar a Bruno a actos literarios y observar la expresión de duda y de sorpresa de la gente al reconocerlo. Él también me arrastraba a sus reuniones sociales, más bohemias, alegres e informales que las mías, o tal vez me divertían más por la novedad que representaban. Un día, en una de esas fiestas de actores en casa de uno de ellos, después de haber bebido más de la cuenta, Bruno alzó su copa y exclamó: «Por mi novia, la más guapa de las intelectuales y la más intelectual de las guapas.» Y todo el mundo aplaudió con entusiasmo mientras yo me moría de vergüenza y él me abrazaba. Aquella fue su manera de formalizar la relación. Cuando llegamos a su casa de madrugada, se desplomó sobre la cama y, antes de cerrar los ojos, me dijo: «Ahora somos novios, ¿eh? No te olvides.» Al cabo de una semana me presentó a sus padres y a sus hermanos. Me adoptaron de inmediato. Me deslicé sin pensarlo demasiado y casi sin darme cuenta por la suave pendiente de lo que constituía una relación formal, basada en la seguridad, el amor, la lealtad y la confianza.

Bruno era más sociable que yo y se sentía cómodo en todas partes. Además, como todos los buenos actores, se contagiaba fácilmente y sin esfuerzo de los que lo rodeaban, se mimetizaba con todo lo que le llamaba la atención, aunque el interés fuese superficial y efímero. Su comprensión de las cosas era intuitiva y fulgurante. En más de una ocasión le había visto convertirse en la persona que tenía delante, adoptar su postura, su tono de voz e incluso su manera de mirar después de apenas cinco minutos de conversación. Él no se daba cuenta y el efecto se diluía con rapidez, pero qué maravilloso resultaba vivir con alguien cuyo trabajo no consistía en ser él, en destilar hasta la última gota de su alma, sino en ser otro, y que lo lograba con tanta fluidez y naturalidad. «¿Qué haces tan ensimismada?», me preguntaba. Y con un pequeño impulso apoyaba las manos en el suelo y hacía la vertical.

Me había puesto una falda color marfil por debajo de la rodilla con profundos cortes laterales que me permitía andar a paso ligero y a grandes zancadas. No era una prenda atrevida, estaba hecha de una seda bastante rígida. Cuando estaba de pie inmóvil, las aberturas laterales apenas se advertían y resultaba bastante recatada incluso. Sin embargo, daba acceso inmediato a mi cuerpo y a Bruno le encantaba. Me acaricié las rodillas en medio de la oscuridad, como esas mujeres que a veces, cuando no se sienten observadas, se palpan inadvertidamente el trasero, como para asegurarse de que sigue ahí.

Me vino a la memoria una noche en un teatro de París con mi madre. Yo debía tener unos veinte años. Habíamos ido a ver *El enfermo imaginario* de Molière a la Comédie-Française. Había pasado la tarde con Luca, el hijo de una de las mejores amigas de mi madre, probando perfumes. Luca era científico y compaginaba su trabajo en un laboratorio con su pasión por los perfumes. Recorrimos la ciudad visitando tiendas maravillosas de suelos enmoquetados y silenciosos, arañas de cristal y

31

vasijas transparentes con pequeños grifos dorados en la base, que servían para llenar las minúsculas botellas talladas que se alineaban sobre los mostradores. Todas las dependientas lo conocían y sabían que era insobornable. Varias revistas de moda le habían propuesto colaboraciones y finalmente había acabado publicando sus artículos sobre perfumes en una pequeña revista científica suiza que no tenía anunciantes de perfume. De ese modo había mantenido la independencia y el derecho a decir lo que le diese la gana. Probé cuatro o cinco diferentes que escogió para mí: en una muñeca, en la otra, en el hueco del codo, detrás de la oreja, hasta que no me quedó ningún espacio libre en el cuerpo y mi olfato empezó a mostrarse incapaz de distinguir o apreciar ningún aroma más. Entonces Luca me dijo que eligiese uno y me regaló un diminuto frasquito de la preciosa sustancia, que unos meses más tarde acabó desparramada por el baño de un piso de estudiante del sur de Londres el día en que una amiga de miembros largos y deslavazados lo tiró al suelo sin querer.

Llegué a la Comédie-Française corriendo y sin haber tenido tiempo de pasar por el hotel a cambiarme. Ocupamos nuestras localidades e inmediatamente se alzó el telón. Al cabo de un rato, cuando ya había empezado a aburrirme y a pensar en mis cosas, alguien a mis espaldas se puso a acariciarme el pelo. No fue un gesto brusco ni agresivo, la persona que estaba sentada detrás de mí simplemente se acercó un poco al respaldo y me pasó la mano por el cabello, con ligereza, un par de veces. Me quedé inmóvil, estupefacta, dividida entre la indignación y el regocijo. No había levantado nunca, por inconsciencia supongo, las firmes fronteras que otras personas erigían en torno a su cuerpo, lo había regalado siempre con alegría y despreocupación. El mío había vivido sobre todo a través de otros cuerpos, era un país repetida y felizmente invadido, impermeable a cualquier politización o instrumentalización, analfabeto.

En el entreacto, le conté susurrando a mi madre lo que estaba ocurriendo. Me miró sonriendo y dijo, como si aquello fuese lo más normal del mundo: «Estamos en París. Y además hueles suculentamente por todos los perfumes que has probado esta tarde con Luca. Se ha debido de dar cuenta.»

Cuando al final de la representación me di la vuelta, el hombre había desaparecido.

Al acabar la obra de Bruno, salió a mi encuentro un empleado del teatro y me acompañó hasta la parte trasera del escenario. Los productores daban una copa de despedida antes del inicio de las vacaciones. Empezarían la temporada en Madrid y no regresarían a la ciudad hasta la primavera siguiente, con una obra nueva. Habían invitado a todos los miembros de la compañía y a algunos amigos. Vi a Violeta al otro lado del escenario, charlando con un amigo periodista; al verme agitó su cigarrillo en el aire y me lanzó un beso. La actriz que interpretaba a la tía del personaje de Bruno estaba sentada en una especie de trono de cartón piedra con un vaso de whisky en la mano, rodeada de actores jóvenes postrados a sus pies. Llevaba un vestido de raso azul oscuro con una apertura lateral que dejaba al descubierto unas piernas infinitas, pálidas y espectrales, y un broche redondo de zafiros, a juego con sus ojos, prendido en el escote. Tenía setenta y cinco años, y era tan famosa por sus interpretaciones como por su mal carácter. «Yo no nací en la época de la simpatía», decía cuando los periodistas le preguntaban por alguno de sus desplantes, «soy una artista, no la Madre Teresa de Calcuta, no esperen demasiado de mí», refunfuñaba. El diseñador de decorados con el que había estado coqueteando antes de conocer a Bruno hablaba, serio y concentrado, con el ceño fruncido, con una chica joven que llevaba un vestido de flores. Cuando hice un gesto con la mano para saludarle, fingió no verme. En ese momento alguien carraspeó en un micrófono, se encendió un foco y sentí que me tomaban por el codo:

–Vamos, están a punto de empezar los discursos –me dijo Bruno–, te matarán de aburrimiento. Y te quiero enseñar una cosa muy importante.

Lo seguí por un pasillo en ruinas iluminado por bombillas colgantes hasta su camerino, me empujó suavemente hacia el interior y cerró la puerta con pestillo. Sonreí pensando en mi falda.

4

Después fuimos a cenar a un restaurante que había descubierto Violeta en la parte alta de la ciudad.

—Es nuevo, os encantará —dijo—, acaban de abrir.

Se había hecho tarde y tenía ganas de llegar a casa, pero acabé cediendo ante la insistencia de mis amigos y la promesa de más champán. Después de una época bastante frenética, estaba intentando salir menos y ponerme de nuevo a trabajar traduciendo libros del francés y del inglés. Había comprobado que podía estar hasta tres días seguidos sin salir de casa. Cuando por fin ponía un pie en la calle, para ir a hacer un recado con los niños, al cine o a alguna reunión social, tenía la sensación de pisar otro planeta, de respirar un aire nuevo, a veces incluso me mareaba un poco, me flaqueaban las piernas y tenía que protegerme los ojos con la mano para que la luz del sol no me cegara. No era la embriaguez chispeante del alcohol, pero durante dos minutos hacía que me sintiese como una exploradora pisando territorio desconocido.

Nuestros amigos tomaron un taxi y nosotros fuimos en la moto de Bruno. Él siempre se desplazaba en moto, las coleccionaba, las cuidaba y las sacaba a pasear como si fuesen seres vivos. Una de las primeras cosas que hizo cuando nos conocimos fue mandarme una fotografía de su moto favorita, lo cual me pareció a la vez muy sexy y muy tonto.

–¿Tu agente no tacañeará con el champán, verdad? –le pregunté antes de entrar–. Si no bebo un poco, me dormiré.

Se echó a reír.

–No creo, siempre es muy generosa, le gusta deslumbrar a sus clientes.

–Y es muy deprimente empezar una cena con champán y tenerla que acabar con vino. ¿No crees? Pasa mucho.

–Sí, es espantoso –dijo él–, la peor desgracia que le puede ocurrir a un ser humano.

–Aunque pensándolo bien todavía es peor que te pregunten si quieres champán y te pongan cava, eso te puede arruinar la cena.

No contestó. Bruno solía prestarse con alegría a mi primera ocurrencia esnob, pero no a las siguientes, lo que, en vez de frenarme, me daba más ganas de continuar. Si uno no iba con cuidado, la resbaladiza pendiente del esnobismo podía resultar casi tan peligrosa como la de la solemnidad, aquel defecto sumamente molesto y masculino recientemente adoptado con gran entusiasmo por algunas mujeres. En cambio la frivolidad, formidable vehículo para la inteligencia y el humor, había sido aparcada y relegada. Ya solo se podía hablar en serio. Las nubes del aburrimiento, de la corrección y de la indignación amenazaban tormenta cada día y nos dejaban calados hasta los huesos.

El restaurante estaba en los bajos de una casa antigua y un poco destartalada. Se accedía al interior por unas escaleras iluminadas por unas pequeñas lámparas en forma de champiñón. Las paredes estaban pintadas de un suave color ocre y la parte de atrás daba a un patio presidido por un hermoso castaño rodeado de algunas mesas cubiertas por un toldo beige en forma de vela. Los dueños eran una pareja de franceses: el marido, alto y fornido, con barba, se ocupaba de la cocina, mientras que la mujer, algo más joven, con una melena lacia que le llegaba hasta la cintura y envuelta en un kimono de seda color tierra, nos recibió con amabilidad y cierta displicencia. ¡Cuántas cosas resultaban más tolerables si la persona que las acometía iba bien vestida! Una sobrina y un par de amigos suyos vestidos de negro ejercían de camareros. La sala estaba iluminada por unas lámparas de seda que daban una luz tenue pero suficiente, las sillas eran de madera clara con el respaldo y el asiento de mimbre y el suelo estaba cubierto por alfombras de sisal. ¡Qué familiar me resulta todo!, pensé, como las salas de estar de los amigos de mi madre y como nuestra propia casa.

–¿Seguro que no hemos estado aquí antes? –le pregunté a Bruno.

–Conmigo seguro que no –respondió–, tal vez hayas venido con otro hombre.

Sonreí.

Sin embargo, cuando Virginia, su agente, se levantó para saludarme y me preguntó si conocía el restaurante, le dije que sí sin vacilar.

Sentó a Bruno a su derecha y a mí al otro lado de la mesa. Era obvio que Virginia estaba un poco enamorada de Bruno. Cuando se lo decía medio en broma –nunca había sido celosa–, Bruno respondía en serio:

–Los únicos agentes que funcionan son los que están enamorados de sus clientes, los que te cogen el teléfono a las dos de la madrugada, los que se encargan de inscribir a tus hijos en el colegio o de buscarte un piso, los que te mandan flores por tu cumpleaños, los que te empujan a ser mejor actor mientras te recuerdan sin cesar que ya eres un genio. Somos unos tarados los actores, necesitamos que nos amen con locura, que se postren ante nuestro talento inconmensurable.

—¡Ah, los escritores son igual! —respondí yo.

—Te aseguro que no está verdaderamente enamorada de mí, simplemente es buena en lo suyo, la mejor.

Pero yo había visto a Virginia, tan generosa y expansiva con él, tratar con algunos de sus otros clientes —tenía un departamento en la agencia que se encargaba de representar a guionistas— y mostrarse tan fría y severa como un empresario cualquiera. Conmigo era siempre tan amable y solícita que resultaba difícil no pensar que, en el fondo, me detestaba.

También era la agente de Carmen Dumoulin, la actriz que compartía cartel con Bruno en la obra. Había venido a cenar acompañada de su nieta, una joven observadora y silenciosa, muy guapa, que estaba empezando su carrera de actriz. Sentí cierto desánimo al darme cuenta de que el marido de Violeta también estaba entre los invitados. John era un famoso abogado de derechos humanos especializado en perseguir a exdictadores, vivía la mitad del año en Brooklyn y era vegetariano, además de un pedante de mucho cuidado. Yo lo observaba y, apenada por mi amiga, pensaba: Violeta, con la cantidad de hombres atractivos y agradables que hay por la calle, ¿cómo has podido acabar con un plomo de este calibre?

Inmediatamente se pusieron a hablar de trabajo. A partir de septiembre, la mitad de la compañía se trasladaría a Madrid con la obra de Bruno y la otra mitad se quedaría en Barcelona ensayando la siguiente producción. Aquello implicaría viajes frecuentes y probablemente la contratación de uno o dos empleados nuevos para encargarse de la logística. Virginia les recordó en repetidas ocasiones que a partir de marzo Bruno estaría rodando una serie en Estados Unidos, algo que los demás ya sabían desde hacía tiempo y que no afectaba en absoluto al calendario de la compañía.

—Pero no te preocupes —dijo una de las veces, desviando durante unos segundos su mirada hacia mí—, seguro que vendrá a visitarte tan a menudo como pueda. —Y sonrió con dulzura.

Luego se pusieron a chismorrear, pero hablaban de personas a las que yo no conocía y me costaba seguir la conversación.

John, el cazador de dictadores vegetariano, estaba encantado de haber encontrado en Ginebra, la nieta de Carmen Dumoulin, a una oyente interesada y complaciente. Lo observé durante unos instantes, sudaba mucho; es imposible que sea verdaderamente vegetariano, pensé. Le acerqué la fuente de jamón. No se dio cuenta, había empezado a hablar de derechos humanos, prosiguió con el calentamiento global, dejando caer aquí y allá, de forma despreocupada, los nombres de todos los activistas famosos que conocía, y finalmente sacó el tema del nuevo feminismo, la guinda en aquel pastel tan empachoso. Me levanté de la mesa con la excusa de que tenía que llamar a los niños y salí a la calle.

Todavía no hacía demasiado calor, pero sabía, como el almirante Boom de *Mary Poppins,* que el viento estaba a punto de cambiar. La vida se precipitaba hacia el verano, la única estación plena que no estaba a la espera de nada. Hay un dicho catalán: «*A l'estiu tota cuca viu*», «en verano todo bicho vive». Era cierto. Me puse a fumar mientras observaba la calle desierta, recordaba que no muy lejos vivía mi amiga Sandra, a cuya casa había ido a jugar miles de veces de niña. Y dos calles más arriba estaba el colegio. Y el parque. Y el bar donde los chicos que nos gustaban iban a jugar al billar.

–¿Qué haces? ¿Te encuentras bien? –preguntó Bruno, apareciendo de pronto–. ¿Te estás aburriendo? Ese John puede ser un poco latoso, pero es muy buen tipo, ha ayudado a mucha gente. Y nosotros nos hemos puesto a contar batallitas del mundo del teatro. ¡Qué maleducados! Lo siento. Tendríamos que habernos quedado un rato más en el camerino.

Sonreí.

–Sí, ha sido divertido, pero estoy un poco cansada, hacía tiempo que no venía por esta parte de la ciudad, mi antiguo colegio está a cinco minutos.

–Bueno, nos iremos pronto, no te preocupes. Cambiando de tema, Virginia nos acaba de invitar a su casa de Mallorca. Tiene un pequeño pabellón para los huéspedes donde estaríamos totalmente independientes. Estaría bien, ¿no?

–Sí, es bonito Mallorca, hace siglos que no voy –respondí.

Los niños estaban a punto de irse de vacaciones con sus respectivos padres y aquel año todavía no había hecho planes. No me importaba quedarme unos días sola en Barcelona. Con las calles vacías y muchos negocios cerrados recuperaba el amor por mi ciudad, aquellos primeros días de noviazgo, al regreso de Inglaterra, cuando entendí que era aquí donde deseaba vivir. Volvíamos a ser ella y yo, mano a mano, recuperando la intimidad perdida durante los meses más frenéticos. De noche, tumbada en la cama, con la ventana abierta, en medio de un silencio absoluto, sentía su respiración exhausta, pausada y subterránea. Todas mis relaciones eran de pareja, incluso la relación con mi ciudad.

–¿Qué vas a hacer tú ahora que ha acabado la obra? –le pregunté a Bruno.

–No lo sé, me gustaría que fuésemos a algún sitio juntos, para airearnos, necesito salir un poco de la ciudad.

–Bueno, pensémoslo. ¿Te parece?

Al entrar en la sala, volví a tener la sensación de que había estado allí antes. ¡Aquellas sillas! Delicadas como pequeñas jirafas rubias que acabasen de ponerse en pie. Y de pronto recordé un juego de las sillas, mucho tiempo atrás en una fiesta de cumpleaños. Teníamos seis o siete años. Después de merendar siempre nos hacían jugar al juego de las sillas, que para mí era un suplicio: tenía pavor a ser la última en quedarme de pie cuando la música se detuviese o a tropezar y caerme al suelo o a tener que luchar con algún niño por una silla. No entendía por qué nos obligaban a jugar. ¡Pero si este juego no le gusta a nadie!, pensaba, que jueguen ellos si quieren. Y cada año igual: acabábamos de merendar, hacían un círculo con las sillas en medio de la sala y encendían la música. Estaba en el restaurante del padre de Gema. A excepción de las sillas, todo había cambiado, pero el sitio era el mismo.

5

Aquella noche no logré averiguar nada más. Los nuevos dueños no recordaban siquiera el nombre del anterior restaurante. El establecimiento había permanecido cerrado durante años, lo habían alquilado a través de una agencia. Yo tampoco lo recordaba, lo supe mientras fue una información útil y lo olvidé en cuanto dejó de serlo: entonces fue sustituido por otros nombres de lugares, calles, restaurantes y personas, que a su vez serían olvidados y sustituidos. Era un trasiego constante y traicionero el de la memoria, un vaivén continuo, en realidad recordábamos muy pocas cosas, tres o cuatro, el resto lo inventábamos o lo tomábamos prestado. En cuanto a las sillas, las habían encontrado empaquetadas en perfecto estado en un rincón del local y la mujer se había encaprichado de ellas.

Me quedé ocupando la mía hasta que acabó la cena, hasta que John apuró la última gota de vino de su copa. Era el típico bebedor que no se levantaba de la mesa hasta haber vaciado todas las botellas –a menudo aquella manía, bastante habitual, tenía más que ver con el afán ahorrativo que con la voracidad alcohólica–. Supuse que en algún momento de la infancia su madre le había dicho que no podía levantarse de la mesa hasta haber acabado todo lo que tenía en el plato y que él había entendido que también se refería al vino. A nadie le importó demasiado, gracias al champán y a la comida todos habíamos caído en un sopor risueño y tranquilo. Hacía rato que no atendía a la conversación, miré a mi alrededor esperando que en cualquier momento una bandada de niñas con vestidos claros, zapatos de charol negros y calcetines blancos cruzase la sala dando brincos.

Nos encantaba y nos parecía el colmo de la sofisticación que una fiesta infantil se celebrase en un restaurante de mayores. El local, a excepción del salón principal y de la cocina donde ya trajinaban camareros y ayudantes preparando el turno de noche, estaba a oscuras. Habían retirado todas las mesas para que pudiésemos jugar. En un lado de la sala había un largo bufete cubierto de todo tipo de dulces: merengues, tartas de fruta, cuencos rebosantes de crema inglesa y de nata, fresones, sorbetes, diminutos bocadillos triangulares de queso y de jamón y una gran tarta de cumpleaños de chocolate cubierta de unas figuritas de azúcar que nos representaban a nosotras y que engullíamos entre suspiros de felicidad.

–Ha pasado algo increíble –le dije a Bruno al salir del restaurante–. ¡Ya había estado antes aquí! Es el restaurante del padre de mi amiga Gema.

–¿En serio? –respondió.

–Muy en serio. –Y pasándole el brazo por encima de los hombros, acercando mi rostro al suyo y levantando un dedo amenazador, añadí–: Murió. Con quince años. En dos meses. De leucemia. Pim pam pum. –Y lo besé.

Me apartó con suavidad. Bruno nunca se emborrachaba, por mucho que bebiese siempre era consciente de lo que ocurría a su alrededor.

–No me lo habías contado. Debió de ser horrible, ¿no? –preguntó.

–Si te crees que lo sabes todo sobre mí, estás muy equivocado. Pero sí, fue horrible, muy horrible, espantoso –dije mientras me ponía el casco y subía a la moto. Y añadí, apoyándome contra su espalda y cerrando los ojos–: Pero hace tantos años.

Sin embargo, no la había olvidado. Los muertos envejecen, algunos incluso más deprisa que los vivos, pero los muertos de mi vida, como los amores de mi vida, eran incorruptibles. Cada vez que veía a un exnovio me daba un pequeño vuelco el corazón. El animal en mí reconocía al animal en ellos, como cuando se encuentran dos perros afines por la calle y empiezan a agitar la cola alegremente. Mis ex eran como los guijarros que había ido dejando Hansel por el camino para poder regresar a casa.

–¿Te parece bien si hoy no te quedas a dormir? –le pregunté cuando llegamos–. Estoy un poco cansada.

–Ya sabes que yo siempre quiero dormir contigo –respondió–, pero sí, claro, nos vemos mañana.

Marc, al oír el ruido de la verja del jardín, salió a recibirme como hacía siempre y me dio un beso en la frente. Había crecido tanto durante los últimos meses que le daba pereza descender hasta mis mejillas. Nadie me había besado nunca en la frente, era una especie de bendición. ¿A quién podría bendecir yo, con mi vida tan caótica y desordenada?, me pregunté. A mis nietos tal vez, si llegaba a tiempo, si por entonces ya me había convertido en el tipo de persona respetable que puede besar en la frente a otra.

Marc estaba aprendiendo a besar, yo notaba que hacía pruebas, ensayaba distintas técnicas, sus besos aún no eran firmes y seguros, sino algo rudos y un poco atropellados, un día te caía uno en la nariz, y otro, en la oreja o en el pelo.

Besar siempre requería un segundo aprendizaje. En la infancia todos sabíamos besar, nos pedían y nos reclamaban besos sin cesar y nuestros besos eran celebrados hasta la locura. Más tarde, en la adolescencia, tomábamos posesión de nuestros besos; habría debido ser una ceremonia formal entre padres e hijos: «A partir de ahora, hijo mío, podrás besar a quien quieras.» Y entonces debíamos olvidar todos los besos que --medio obligados– habíamos dado a tías, madrinas, abuelas y adultos diversos para empezar a besar de nuevo desde cero.

Óscar, en cambio, seguía besando como un niño: besos estampados en medio de la mejilla como en el centro de una diana, suaves, rotundos, concienzudos y un poco húmedos.

Cuando Marc se fue a la cama, me serví una copa de vino y abrí el ordenador. Revisé de forma automática, sin prestar demasiada atención, las últimas noticias y los emails que había recibido por si durante los diez minutos de trayecto en moto del restaurante a casa hubiese ocurrido algo de vital importancia. Y cuando me aburrí de los periódicos y de los mensajes, tecleé el nombre de mi amiga: Gema, Gema Álvarez. Siempre sentía cierto pudor y miedo al teclear el nombre de alguien que conocía, era lo mismo que me ocurría con las

49

pantallas y las mochilas de mis hijos, uno debía proteger la intimidad de las personas queridas, no dejarlas a la intemperie alegando una supuesta, mal entendida y sobrevalorada curiosidad. Gema Álvarez. No había nada sobre Gema Álvarez, ni una mención, ni una foto, ni un recuerdo, era como si Gema no hubiese existido.

No puede ser, pensé, voy a llamar a Bruno para que venga a ayudarme, él es más joven, se maneja mejor que yo con los ordenadores, seguro que estoy haciendo algo mal.

No es que Bruno fuese joven. La juventud acababa a los treinta años y él estaba a punto de cumplir cuarenta. ¿Por qué la gente se empeñaba con tanto ahínco en alargarla? No era una de las cosas más trágicas que podían sucederle a uno, dejar la juventud atrás; en realidad, durante la mayor parte de nuestra vida no éramos jóvenes. No era eterna la juventud, ni siquiera muy larga. Y resultaba muy molesto que intentase invadirlo y cubrirlo todo con su fascinante manto, incluso había usurpado la inteligencia la juventud. Cuando un adulto o un viejo resultaban divertidos, creativos o brillantes se decía que era porque mantenían la mente joven. ¡Pamplinas!, pensé. Pero si llamaba a Bruno y venía a ayudarme, querría quedarse a dormir, claro, me dije.

Volví a teclear el nombre de mi amiga con

cierta irritación. ¿Acaso no decían que en internet estaba todo, el mundo entero al alcance de la mano, como cuando mi madre afirmaba que en Nueva York era posible encontrar cualquier cosa, desde una gacetilla publicada en un pueblecito recóndito de Murcia hasta el diamante de mayor pureza? Entonces se me ocurrió teclear el nombre de mi padre, muerto dos años después de Gema. Había una foto de grupo antigua, un par de menciones profesionales, nada más. Era como si las personas anónimas que habían vivido y muerto antes de la era de internet no existiesen, como si hubiesen desaparecido sin dejar rastro alguno. Tal vez en la red hubiese tantas cosas como en Nueva York, pero no había cementerios. ¡Era indignante que mis muertos fuesen muertos anónimos cuando para mí eran muertos clamorosos! ¡Maldito Mark Zuckerberg!, exclamé. Gema había vivido durante quince años, había recorrido las mismas calles que yo, había sacado excelentes notas, se había enamorado, había sido inteligente, sensible, obediente (ese era su único defecto, era el único defecto de la mayoría de la gente) y apasionada, y había cenado como una princesa cada noche en el restaurante de su padre. «Marcel», «¡¡¡Marcel!!!», ¡el restaurante se llamaba «Marcel»! A ver: Restaurante Marcel Barcelona. Tampoco había nada, borrado de un plumazo, como si tampoco hubiese existido. ¿Y los padres? Tal vez estuviesen vivos, pero debían de ser muy mayores y vivir entre ruinas. A mi alrededor también había algunas ruinas, pero todavía estaban rodeadas de árboles, iluminadas por el sol, y al fondo se veía el mar y entre las piedras crecían hierbajos. ¿Y cómo se llamaban? Ni idea. Durante la infancia los padres de nuestros amigos no tienen nombre, son sus padres y ya está, a menudo yo también era solo la madre de Óscar y Marc. Y si durante el Juicio Final me preguntaban quién era, respondería sin dudarlo ni un instante que era la madre de Óscar y de Marc.

Es una cura de humilidad tener hijos, más que la muerte, más que el paso del tiempo, no sabía hasta qué punto para las mujeres era compatible con la escritura. Para escribir era necesario creerse Dios, se escribía desde las máximas alturas. Sin embargo, los hijos te recordaban una y otra vez que no eras nada, que no existías, que tu felicidad y tu vida dependía de ellos. La relación con los padres es Shakespeare, es Bergman. La relación con los hijos, si tenemos suerte, es durante un tiempo (pero todo es durante un tiempo: un dibujo de Sempé, un capítulo de *El pequeño Nicolás).*

Apuré el vino y me fui a la cama. Había bebido demasiado, temía que la habitación empezara a dar vueltas en cuanto me tumbase. Al entrar en mi cuarto, vi a Óscar acurrucado en la cama, aunque ya tenía once años algunos días seguía durmiendo conmigo. Yo dormía en un extremo, inmóvil como una momia egipcia, mientras él, delgado y larguirucho como un chanquete, ocupaba el resto de la cama, una amplia extensión blanca como la nieve, fresca y crujiente en verano y cálida y mullida en invierno, que estaba siempre disponible para mis hijos. Era su enfermería particular en caso de tormenta, de disgustos y de dolores varios. No hay pesar que no se cure en la cama adecuada. Óscar adoptaba siempre una postura muy delicada, cuando se dormía de lado apoyaba la mejilla sobre la mano como si estuviese reflexionando y cuando lo hacía boca arriba se ponía la mano encima del pecho, con gran dignidad, como la estatua de un caballero medieval, como había visto hacer a su padre y al padre de Marc en multitud de ocasiones. Puse mi mano sobre su espalda y me dormí al instante.

6

Me despertó el ruido de la ducha en el baño de los niños. Con la edad, Marc se había convertido en un estricto higienista. El dentista había estado a punto de tener que arrancarle una muela del juicio a causa de una caries y desde entonces se lavaba los dientes durante media hora al día. El zumbido de su cepillo de dientes, como una taladradora, se había convertido en algo tan familiar y en el fondo reconfortante como el tañido de las campanas de Cadaqués al amanecer. A Bruno aquellas largas sesiones de lavado de dientes le causaban una hilaridad irresistible:

—Bueno, ya tenemos a Marc lavándose los dientes, el mundo está en orden, podemos irnos a dormir —decía cuando se quedaba en casa.

Óscar, en cambio, todavía estaba en la larga etapa de la pereza. Algunas noches, para comprobar si se había lavado los dientes, hacía que me echase el aliento. En realidad, se trataba de una estrategia para intentar detectar en su respiración preadolescente el olor del aliento dulce y nuevo de sus primeros años, aquella respiración de cachorro dormido que yo bebía tumbada a su lado, con la cabeza pegada a la suya y los ojos cerrados, inmóvil como una estatua para no despertarle.

—No hay cereales, hace calor, esta casa es demasiado pequeña y encima he tenido que bajar a abrir al cartero —me dijo Marc en cuanto puse un pie en la cocina.

—¿Ah, sí? Vaya —suspiré.

Me preparé un café doble ante su mirada acusadora mientras Óscar, sentado en la mesa de la cocina, sacudía la cabeza y ponía los ojos en blanco intentando contener la risa ante aquella escena doméstica tan habitual.

—Resumiendo: tenemos que mudarnos y tienes que dejar de comprar libros gordos que no caben en el buzón —añadió mientras se comía una tostada con aguacate.

Además de pasar una hora al día lavándose los dientes, Marc había dejado de tomar azúcar y dulces. Yo esperaba grandes cosas de aquella juventud, ¿quién sabe?, igual se vuelven a poner de moda los adultos, pensaba.

—Ayer fui con Bruno a cenar a un restaurante

muy bueno. El antiguo dueño era el padre de una amiga mía, tenemos que ir un día –dije.

–¿Y cómo es que Bruno no ha dormido en casa? –preguntó Óscar.

Se habían hecho muy amigos, a menudo veían películas juntos y Bruno le estaba enseñando a jugar al tenis.

–Pues no lo sé –respondí–, no tiene por qué quedarse cada noche.

–¡Mamá! –exclamó entonces él–. No irás a dejarle, ¿verdad? Es un hombre estupendo, no encontrarás a otro mejor.

Me eché a reír. Tengo unos hijos demasiado listos, pensé.

–¿Por qué iba a dejarle? Anda, vamos a hacer tu mochila.

En la escuela le habían encargado hacer unos cuadernillos de verano que había empezado con mucho entusiasmo, pero por los que había perdido interés rápidamente. Acababa de llegar a la sección de historia, que era una de las que tenía que hacer durante el mes que iba a pasar con su padre.

–¡No quiero hacer deberes de historia! –se lamentó al verme meter el cuaderno en su mochila–. Ya sé lo que es la historia: una tontería.

–¿Ah, sí? ¿Y qué es la historia? –le preguntó su hermano.

Su padre era profesor de historia.

–Pues muy fácil –exclamó Óscar con mucha seriedad–. La historia es: el Bing Bang, los dinosaurios, los griegos, los romanos, la Revolución Francesa, la luz, «Hitla» y Chernóbil. –Y añadió–: El Big Bang fue lo que acabó con los dinosaurios.

Entonces Marc se abalanzó sobre él abrazándolo:

–¡Cómo eres! ¡Cómo eres!

–¿Y por qué dices «Hitla» en vez de «Hitler» –pregunté.

–Se pronuncia así, «Hitla», hay que ver lo ignorantes que sois en esta casa.

Les iba a echar de menos, pero me alegraba poder tener unos días para mí, la vida cotidiana tan frenética y llena de actividades siempre interfería en mi tendencia natural a la pereza. Me gustaban infinitamente más los perros, pero mi modo de vida ideal era el de los gatos: mirar un poco por la ventana, salir a pasear al anochecer, cazar uno o dos ratones. Tenía que ponerme a trabajar en una traducción del francés que me había comprometido a entregar a principios de otoño, y sin los niños en casa, sin la obligación de suministrar comidas, cenas y ropa limpia, esperaba darle un buen empujón. Bruno me haría compañía, podríamos follar en el sofá o donde nos diese la gana y alimentarnos de vino, queso, galletas y fruta. También quería contactar con mis antiguas compañeras de colegio para recordar juntas a Gema.

Acompañé a Marc hasta la parada del autobús de Vic, que era donde vivía su padre, luego llevé a Óscar a casa del suyo, que me saludó con un gesto de la mano muy poco entusiasta desde el portal.

Óscar se alejó del coche a paso rápido y decidido, ya no caminaba como un niño, dando saltitos, sino que se deslizaba sobre el pavimento con cierta socarronería, como si estuviese escuchando una de sus canciones de rap favoritas, consciente de cada uno de sus movimientos. ¡Qué mayor está!, pensé. Sentí el mismo tipo de pesar que experimentaba de joven al despedirme de un novio: un dolor virulento, pasajero y patético en el corazón. Tal vez fuese cierto que ya no estaba enamorada de Bruno.

7

Vivíamos en una buhardilla luminosa y algo destartalada cuyas vigas de madera parecían una extensión de los olmos que bordeaban la acera. Cuando levantaba la vista del ordenador, miraba por la ventana y veía las pequeñas hojas agitándose a causa de la brisa, tenía la sensación de que me saludaban. Sus movimientos y su misteriosa vida me hacían pensar en los perros que había tenido. Una mañana, al despertar, encontré una de esas hojas en el salón, a los pies de la ventana abierta, imaginé que había cruzado la calle y revoloteado hasta mí a propósito. La puse en un vasito con agua al lado de mi ordenador hasta que se marchitó y acabé tirándola a la basura con un poco de remordimiento. Tal vez habría debido dejar que se secase entre las páginas de un libro, pero el embalsamamiento siempre me ha parecido algo deprimente, prefería que las cosas se marchitaran, al fin y al cabo era más hermoso.

Solo había observado dormir con verdadero interés y amor a mis hijos. Cuando, por circunstancias de la vida, al abrir los ojos me encontraba con la mirada de otra persona fijada en mí, no podía evitar sentir un poco de angustia y de mal humor, como si estuviesen intentando arrancarme del sueño antes de tiempo o quisieran descubrir cosas que ni siquiera yo sabía.

Me desperté al notar que Bruno se movía a mi lado.

—¡Voy a comprar el desayuno! —dijo, saliendo con un brinco de la cama.

Una luz suave y tamizada se filtraba por las varillas de la persiana formando un largo dibujo geométrico sobre la moqueta gris. Debe de ser temprano, me dije. Bruno se movía por la habitación con agilidad y delicadeza, apenas una sombra, como Peter Pan. Se vistió en treinta segundos.

En cuanto oí el sonido de la puerta de la calle al cerrarse, también yo me levanté de un salto y fui a la cocina a hacerme un café. ¡Ojalá se quede en la calle un buen rato!, pensé. Llevábamos tres días encerrados en casa y empezaba a sentir cierta claustrofobia. Me gusta tanto que se marche como que llegue, me dije. Es normal, los dos movimientos son muy importantes, la supresión de uno de ellos siempre resulta fatal.

Y para no tener que enfrentarme a lo que estaba sucediendo me puse a filosofar. La gente va y viene, no se puede hacer mucho más, me dije mientras pensaba qué ponerme. De pequeña mi padre me acostaba y se quedaba conmigo un rato, cuando se levantaba para irse y yo protestaba, me decía, su silueta inconfundible, alta y delgada, recortándose contra el marco iluminado de la puerta: «Yo voy y vengo, no te preocupes, voy y vengo.» Y yo me dormía enseguida, segura de que volvería. La mejor actitud, sin duda, es siempre la de voy y vengo. Quizá lo más importante no sea quedarse o aburrirse a la vera del otro, sino que sepa que pase lo que pase volverás.

Regresó al cabo de doce minutos y medio con pan y cruasanes.

—¡Vámonos de vacaciones unos días, anda! —dijo sentándose enfrente de mí con una taza de café en las manos—. ¿Adónde quieres ir? Podemos ir a donde tú quieras, yo invito. ¿Quieres que nos vayamos al Caribe?

—¿Al Caribe? ¿Para qué querría irme al Caribe teniendo el Mediterráneo aquí al lado?

—¡Pues a Italia!

—Necesito trabajar, Bruno, en serio. Y creo que unos días sola y tranquila me irán bien. Y también quiero ver a mis amigas del colegio, averiguar qué fue de Gema, de sus padres.

—¿Quién es Gema? —me preguntó sorprendido.

—¿Quién va a ser? —respondí—. ¡Gema! La del restaurante del otro día, mi amiga que murió. ¡Gema!

Me miró con el ceño fruncido y se pasó varias veces la mano por el pelo en un intento falso de peinárselo, en realidad, se lo despeinaba. Era un gesto de coquetería, algo muy distinto, mucho más alegre y lúdico que la vanidad. Bruno tenía una relación casi infantil con su propia belleza. A veces, cuando se miraba al espejo, se le escapaba una sonrisa de satisfacción. Era posible que nunca nadie le hubiese dicho que no quería irse de vacaciones con él. La educación sentimental de las personas muy atractivas era por un lado más rápida, pero por el otro, mucho más lenta.

—Sí, sí, ya me acuerdo. Pero ¿qué quieres averiguar? Está muerta desde hace treinta años.

—Pues no lo sé, la verdad, pero ya lo averiguaré —dije.

—¿Pero lo tienes que hacer ahora, en pleno mes de julio? —Se metió un cruasán entero en la boca—. Yo si me quedo aquí tendré la sensación de haber perdido el tiempo —farfulló.

—Claro, hay que aprovechar el tiempo. Puedes hacer lo que quieras, me parecerá perfecto. —Bruno seguía mirándome con incredulidad.

—Ya sé que puedo hacer lo que quiera, no me tomes por tonto. —Se quedó pensativo unos instantes–. Bueno, pues si tú de verdad no quieres ir a ningún sitio, tal vez me vaya yo unos días por ahí –dijo finalmente–. Ayer hablé con Virginia y me volvió a decir lo de su pabellón de invitados en Mallorca.

–¡Ah, Virginia! Es buena idea –dije yo. Él se despeinó otra vez el flequillo–. Deberías ir, claro. Lo pasarás bien. Si acabo pronto la traducción iré a verte, me encantaría pasar unos días en la playa.

–Eso sería genial. –Sonrió y pareció relajarse por primera vez desde su regreso con el desayuno. Entonces se acercó a mi silla, se puso en cuclillas, apoyó sus manos sobre mis rodillas, me besó y dijo que me quería.

–Yo también –respondí.

–¿De verdad vendrás a Mallorca? Te voy a estar mandando mensajes cada dos minutos.

–Sí. Tal vez sí.

Acabamos de desayunar y lo acompañé hasta la calle para despedirme. Me besó como si estuviese a punto de embarcarse para una travesía larguísima. De pronto sentí un chispazo de euforia. «¡Voy a estar sola unos días! ¡Libertad, libertad!», seguido de un estremecimiento muy leve de culpa y de gravedad, «pero también le echaré de menos, claro, muchísimo». Mientras me abrazaba, me separó un poco las piernas con una de las suyas y respirando profundamente pensé: ¡Claro que le quiero! Entonces pasó un hombre por nuestro lado y murmuró: «¡Ah, el amor!», y Bruno se despegó de mí riendo, un poco ruborizado.

—Es amor, ¿eh? –dijo poniéndose serio–, amor verdadero.

—Sí, sí –respondí yo colgándome de su cuello. También habría podido decirle «sí, sí, sí» o «sí, sí, claro», lo único que no habría podido decirle era «sí».

Se subió a la moto.

—Yo también tengo una vida interior, ¿sabes? –me dijo mientras se ponía el casco.

—Claro que sí –le dije sonriendo, y lo volví a besar.

La experiencia amorosa no era algo que se fuese adquiriendo a lo largo del tiempo, se abatía sobre ti de forma inesperada. Un día estabas tumbada en el sofá de casa o esperando el autobús y de pronto te decías: «Ya está, ya lo tengo, ya lo he entendido.» No se trataba exactamente de una revelación tampoco, era como si un pozo se hubiese ido llenando poco a poco de agua y de repente tuviésemos acceso a él. No aprendíamos sobre el amor de forma paulatina sino de golpe, como a ir en bicicleta: un día te subías a la bici y de repente ya sabías mantener el equilibrio y salir corriendo calle abajo.

Agitó una mano en señal de despedida mientras se alejaba con la moto. Nos separaban seis años, dos siglos de experiencia y una enfermedad benigna: su enamoramiento.

8

Al cabo de unos días, vinieron a comer a casa Beatriz y Marta, dos de mis mejores amigas del Liceo Francés. Juntas habíamos viajado, nos habíamos enamorado, nos habíamos emborrachado, habíamos visto amanecer. Y nos habíamos querido, detestado y criticado unas a otras con pasión. También habíamos compartido ropa, nadado en el mismo mar, llorado de risa y llorado a secas.

Cuando empezamos a salir con chicos ya sabíamos muy bien lo que era tener una relación sentimental larga y complicada. La primera la habíamos tenido con nuestra madre (y para bien y para mal sobreviviría a todas las demás), la segunda con nuestras amigas. La educación sentimental, tanto la femenina como la masculina, corría siempre a cargo de las mujeres.

Como me ocurría desde hacía años, desde que ya no eran mis amores principales, un minuto antes de que llamaran a la puerta pensé: ¡Qué pereza! ¡Qué sentido tiene seguir viéndonos! No había sido capaz de conservar la amistad de nuestra juventud, sin darme cuenta se me había escurrido entre los dedos. Me lo justificaba a mí misma de mil maneras distintas. ¡Qué bobada la amistad comparada con la pasión!, me decía. Qué pesadez esa forma de amor apaciguado y distante, carente de emociones fuertes, pero igualmente repleto de disimuladas obligaciones y de pesados requerimientos, susceptible de celos terribles y de traiciones imperdonables. Pero en secreto envidiaba a esas personas que dedicaban parte de su tiempo a la amistad, que la cuidaban y la cultivaban, que depositaban en ella sus esperanzas y las veían cumplidas. Como en el caso de la música clásica de Marc, sabía que me estaba perdiendo algo. Cuando un día Bruno me preguntó por qué no salía casi nunca con mis amigas, le respondí para defenderme:

—La amistad es un juego demasiado sutil para mí, las apuestas son siempre demasiado bajas, el precio a pagar demasiado alto. Detesto a los que afirman ser muy amigos de sus amigos, son como los tíos que aseguran ser grandes amantes. El amor, individual, radical e inexplicable como un terremoto, se ha vuelto más pudoroso y la amistad correcta, limpia y que no necesita de la oscuridad para existir, se ha vuelto muy exhibicionista. ¡Es el mundo al revés! La apología de la amistad, tan pura, tan generosa y desinteresada, en detrimento del amor apasionado es un triunfo más del puritanismo.

–Tal vez tengas razón –dijo Bruno–, pero de todos modos creo que deberías quedar más a menudo con ellas, te quieren mucho.

En cuanto entraron en casa me di cuenta de que algo extraño ocurría. Marta estaba como siempre, vestida y maquillada como si fuese a una fiesta, con unos tacones de palmo que hacían que Beatriz y yo pareciésemos enanas, unos vaqueros ajustadísimos y un suéter negro que dejaba al descubierto uno de sus hombros color caramelo.

–¡Qué casa tan bonita tienes! –dijo Beatriz–. Siempre me olvido y cuando vuelvo pienso: Qué lugar tan agradable.

¡Era Beatriz la que estaba rara! ¡Se le había caído un diente!

El problema cuando uno ya no es joven es que la apariencia de los amigos empieza a ser algo a la vez personal y colectivo. Si Marta seguía siendo sexy y voluptuosa significaba que todas podíamos serlo –a partir de cierta edad la belleza de las amigas ya no era un motivo de competitividad o de celos, sino de orgullo y de alegría, la belleza de alguien de nuestra edad era un triunfo colectivo–, pero si Beatriz se estaba quedando sin dientes..., en fin, prefería no pensarlo. No no no no, no sonrías, pequeña Beatriz, nada de sonreír. Tal vez le acaba de suceder y no se ha dado cuenta. Igual se le ha caído en la puerta de casa. Algún niño al salir a pasear esa tarde se encontraría con una muela por la calle, pensaría que era un diente de dinosaurio y lo guardaría como un tesoro hasta que un día su madre lo encontrase y, sorprendida y horrorizada, lo tirase a la basura.

Me senté estratégicamente a su derecha: si ella no giraba mucho la cabeza hacia mí, estaríamos bien. O podía dirigirme solo a Marta, siempre había sentido que mi preferencia por Beatriz era a ratos demasiado manifiesta, igual había llegado la hora de corregirla.

—¿Y qué tal? ¿Cómo va todo? —dijo Beatriz.

No podía soportarlo ni un segundo más, me iba a dar algo.

—¿Que cómo va todo? ¡Pero si se te ha caído un diente! ¡Cómo va a ir! —exclamé.

—Sí —contestó sonriendo con timidez y llevándose la mano a la boca—. Es por la operación de mandíbula que me hicieron hace un mes, te dije que estaba un poco fastidiada.

Me debatí un instante entre la compasión y mi persona.

—¡Ah, sí! —dije; recordaba vagamente que me había dicho algo de una operación.

—Y además mi madre no está bien —añadió—. Mis hermanas se han ido de vacaciones y yo me he quedado de guardia, no he tenido tiempo de ir al dentista.

Hacía años que su madre no estaba bien, yo había acabado pensando que sus males tenían más que ver con la soledad y la vejez que con una enfermedad en particular.

—Vaya —dije—. Lo siento. Pero te van a volver a salir, ¿no? Como a los pulpos que cuando un tiburón les arranca un tentáculo les vuelve a crecer.

Marta se echó a reír. Con Beatriz nos hicimos amigas porque además de ir a la misma clase compartíamos amistades e intereses. A Marta en cambio la había empezado a tratar el día que un profesor, harto de oírme parlotear y reír en el fondo de la clase con mis amigas, me castigó trasladándome al pupitre donde ella se sentaba, en primera fila, justo delante de la pizarra.

—¡Cómo eres! —dijo—. Me los reemplazarán dentro de unos meses, cuando el hueso se haya regenerado —explicó.

—¡Dentro de unos meses! Pero ¿cuántos exactamente?

—Seis o siete.

—¡Seis o siete! Pero eso es horrible. ¿Eres consciente de que no volverás a ligar hasta que tengas dientes?

–¡Qué exagerada! –dijo Marta.

–Sabes perfectamente que tengo razón. No disimules.

–Cuando dejé de teñirme las canas, me dijiste lo mismo y mira, no me ha ido tan mal –dijo Beatriz encogiéndose de hombros.

Pero una cosa era aquella melena maravillosa, casi metálica, lacia y azulada, como de ninfa del bosque, y otra muy distinta ir por la vida sin un diente.

–¿Estás dispuesta a que no te bese nadie durante seis meses? –dije, y sin darle tiempo a contestar añadí–: ¡ Pero que no te bese nadie durante seis meses no es lo más grave! Lo más grave es que nadie desee hacerlo.

–¡Pero si seis meses pasan volando! –dijo Marta.

Debe de pensar que es un despilfarro ponerse unas fundas temporales, pensé. Es verdaderamente ahorradora. Siempre lo noto a la hora de los postres, me fulmina con la mirada cuando me abalanzo sobre ellos, y ya no digamos si me los acabo antes de que haya podido probarlos. Eso la saca de quicio.

–¿Y qué tal Bruno? –me preguntó Marta para cambiar de tema.

–Muy bien, es un tío fantástico. –Me quedé callada unos segundos sin saber cómo proseguir.

–¿Y? –dijo Beatriz.

–Igual lo dejo. No sé –respondí.

No oí sus exclamaciones de sorpresa y de protesta.

¡Uf!, pensé. Me acabo de quitar un peso de encima. No sé lo que voy a hacer, pero sé que tengo que hacer algo, lo acabo de decir. Hay cosas que no son verdad hasta que las dices en voz alta, y cosas que una vez dichas en voz alta dejan de ser verdad. Y sin embargo es un gran tipo.

–Pero ¿qué pasa? ¿Ha ocurrido algo? Si estabais muy bien –dijo Marta.

–Me aburro un poco con él, creo que hemos empezado a aburrirnos juntos. –En realidad no sabía si él se aburría, creía que no, cuando uno está enamorado no se aburre, sufre.

Beatriz, identificándose de inmediato con Bruno y colocándome en un lugar seguro y a salvo, al dar por sentado que la víctima iba a ser él murmuró:

–Pobre chico. El problema es que no estás enamorada de él, no lo has estado en ningún momento.

–¿Tú crees?

Me levanté para ir a sacar la tarta de chocolate de la nevera y mientras la servía les pregunté por Gema.

–Fue una leucemia fulminante –dijo Beatriz–.

Murió en dos meses. Se fue antes de las vacaciones de Navidad y ya no regresó.

–¿Tan rápido? ¿Y no murió en primavera? –dije yo.

–No, fue en invierno –insistió Beatriz–, estoy absolutamente segura, y fue rapidísimo.

–Yo también creo que murió en invierno –dijo Marta–. ¿Por qué no buscas su necrológica? Seguro que salió alguna en algún periódico.

–Sí, es buena idea, lo voy a hacer. ¿Y sabéis dónde murió? ¿Estaba en un hospital? ¿Alguien fue a visitarla? –pregunté.

–Yo fui a verla con unas compañeras de clase, pero recuerdo muy poco, solo su aspecto, me impresionó mucho, estaba muy delgada –dijo Beatriz.

–¿En qué hospital estaba? –pregunté.

–No me acuerdo.

Ninguna de las dos recordaba si había regresado un día al colegio estando enferma.

–Lo más lógico sería que no hubiese regresado, fue todo muy rápido –dijo Beatriz, siempre sensata.

–Pues yo la vi –repliqué–, hacía muchos días que no iba a clase pero un día regresó, tal vez fue solo durante unas horas, no lo sé. La fui a saludar, parecía muy enferma, estuvimos hablando un rato. Me acuerdo perfectamente.

Beatriz me miró dubitativa y no dijo nada.

–Si tú crees que ocurrió, entonces seguro que ocurrió –dijo Marta, acariciándome con levedad la mano.

En cambio, las tres recordábamos muy bien la misa que había tenido lugar unas semanas más tarde en la Capilla Francesa. Nos habían indignado las palabras y el tono del cura, que hablaba como si fuese un honor que Dios hubiese llamado a Gema a su lado tan pronto. Me senté en la última fila con mis amigas, como en clase antes de que me obligasen a sentarme delante de todo con Marta, como hacíamos siempre en el autobús. No vimos a sus padres. Recordaba haber tenido de nuevo la sensación de estar pisando la tierra árida de los adultos; era la segunda vez en mi vida, la primera había sido en el patio la última vez que la vi.

–Yo también fui al entierro –dijo Marta–, fue muy triste, no recuerdo dónde fue, en Montjuic supongo. Al final de la ceremonia nos dieron una pequeña foto de Gema como recordatorio.

–Yo no fui. –¿Por qué no había ido?–. Creo que no me enteré. Nadie me avisó. ¿Tú lo sabías? –le pregunté a Beatriz con irritación, como si aquello acabase de ocurrir–. Podías haberme avisado al menos.

–No recuerdo si te avisé. Tal vez te avisé y no pudiste ir. O tal vez solo invitaron a sus mejores amigas de la clase. Yo tampoco fui.

74

—Tú nunca fuiste tan amiga de ella como yo —dije.

Ya no competíamos por la belleza, pero sí por la amistad; por el amor competiríamos hasta el final, por los hombres no habíamos competido nunca. No recordábamos mucho más, yo recordaba que alguien me había contado que le habían clavado una aguja enorme en la parte baja de la espalda, algo sobre la médula ósea que obviamente no entendí, pero que me provocó pesadillas durante semanas. Habíamos repetido un montón de veces que fue una tragedia terrible, pero eso no era recordar nada específico, era lo mismo que uno decía al leer en el periódico la crónica de una desgracia que había tenido lugar a miles de kilómetros de distancia. Quizá treinta años fuesen miles de kilómetros de distancia. Quizá la ignorancia y la juventud, aquel invencible escudo, no solo nos protegieran a nosotras —a los quince años la muerte es una lengua extranjera, un horizonte invisible, un planeta desconocido—, sino también a ella, tal vez no se diese cuenta de aquella estafa absoluta de la que estaba siendo víctima —adiós a todo, sin haber follado todavía, sin tener hijos, sin haber visto Venecia probablemente, sin haberse bañado en pelotas siquiera—, pero lo dudo, Gema era la más lista de la clase.

La última vez que la vi ya tenía los ojos llenos

de niebla, como mi padre en el hospital. Estaba sentado muy erguido también, como Gema, en una butaca delante de una mesa con ruedas. No yacía como un enfermo, estaba envuelto en una bata de caballero inglés muy elegante. Nunca vi a mi padre tumbado, los héroes no se tumban, las diosas sí. Mi madre casi siempre estaba medio desnuda tumbada en su cama, trabajando, jugando a las cartas, leyendo, hablando por teléfono o jugando con sus perros.

Cuando nos despedíamos, Beatriz me dijo:

–¿Sabes lo que pensé yo entonces? Pensé: ¡Ah! Pues vaya. ¿Pues solo es eso?

Nos miramos en silencio.

–Éramos muy jóvenes –dije yo.

–Sí, claro –respondió ella.

–Venga, que se hace tarde –concluyó Marta.

Mientras bajaban las escaleras las oí discutir sobre el bar más cercano y agradable para ir a tomar un mojito.

9

Cuando me quedé sola, me puse a buscar fotografías de Gema. Tenía que haber alguna en uno
de los álbumes de fotos familiares. Cada año mi
madre me daba un sobrecito con dinero para comprar dos copias de la fotografía de la clase: una para
mis abuelos y otra para nosotros. Pero no encontré
ni una sola foto de mi amiga, tal vez el álbum con
las fotografías de su época se había extraviado, o
quizá estuviese en una de las cajas de la mudanza
que después de siete años todavía no habíamos
tenido tiempo de desembalar.

Siempre perdía las cosas que más me impor-
taban, claro, de las otras no me daba ni cuenta
porque nunca volvía a buscarlas. Pero me acostum-
braba rápidamente a las pérdidas materiales, lo que
no está, no está y no hay más que hablar, como no
tenía el poder de hacerlo reaparecer por arte de
magia era mejor no obsesionarse; y seguían en mi

memoria, el lugar más seguro del mundo, no habían desaparecido del todo, estaban.

A pesar de tenerlos guardados en la estantería más alta del armario y de no mirarlos demasiado a menudo, adoraba aquellos álbumes de fotos. Cuando mi madre, para provocar y por coquetería, hablaba de lo que nos dejaría en herencia, muchos años antes de que su muerte fuese ni siquiera remotamente concebible —son inmortales las madres: tener hijos nos hace inmortales, al menos a sus ojos—, yo siempre le decía que lo que más ilusión me haría serían los álbumes de fotos. De niña había pasado muchas horas sumida en aquellos gruesos volúmenes cuidadosamente compuestos por mi abuelo primero y por mi madre después. Certificaban que habíamos sido bastante felices, bastante atractivos. También daban fe de que nos habían querido, de que nuestra infancia había sido tan valiosa para alguien que se había molestado en retratarla. Hacer fotos no era tan sencillo como ahora. Mi abuelo había pasado horas, días enteros, eligiendo las fotografías, poniéndolas en orden cronológico, pegándolas rectas, sin ningún pegote, anotando debajo con buena caligrafía el lugar, la fecha y la identidad de los retratados. Y después él y yo juntos habíamos pasado horas mirándolos —de niña el pasado no me daba miedo como ahora, no había ningún peligro de quedar atrapado en sus arenas movedizas–. Mi abuelo solía contarme la historia de cada foto: «En esta sesión, te portaste tan mal que tuvimos que darte unos caramelos para que te estuvieses quieta.» «Este disfraz de bailarina te lo trajeron los Reyes.» «Aquí llorabas desconsolada porque no te querías ir de Venecia.»

Muchos años después, un día, al llegar a casa, me encontré a mi madre –que ya estaba muy enferma– sentada en el suelo rodeada de recortes y de papeles, enarbolando triunfante las tijeras de la cocina.

–Estos álbumes estaban mal –me dijo señalando el estropicio.

Había destrozado los álbumes de fotografías de mi infancia para volverlos a montar a su manera, según su opinión con más gracia y acierto que mi abuelo. Fue imposible recomponerlos todos. Muchas de las páginas habían ido a la basura, los comentarios de mi abuelo y su caligrafía blanca, diminuta y enroscada se perdieron para siempre.

Un año antes de morir, llegó a mi fiesta de cumpleaños arrastrando una pesada maleta de viaje. En el interior estaban todos los álbumes.

10

Tal vez Sandra, mi mejor amiga de la infancia –Beatriz y Marta habían sido amigas de la adolescencia–, tenga fotos, pensé. La llamé y quedamos al cabo de unos días. Hacía mucho que no nos veíamos. Si mi madre había sido mi primer amor, Sandra fue el segundo. En comparación, conseguir el afecto de los hombres resultó mucho más fácil, nunca sentí que fuesen antagonistas o que les tuviese que convencer de nada: estaban de mi parte. Mi padre y mi abuelo, a los cuales hacía una gracia infinita y que me adoraban, muertos los dos con pocos meses de diferencia, cuando yo tenía diecisiete años, salvaron para mí de por vida al género masculino. Y dejaron fijada en mi mente para la eternidad la imagen de lo que debía ser un hombre.

Las extraordinarias mujeres de mi familia, más listas, más complicadas y creativas, no se interpusieron nunca en aquella ensoñación, pero me hicieron pagar mucho más caro su amor, tal vez porque vivieron más años.

A los cinco años ya sabía lo que era ser adorada por un hombre y luchar por el amor de una mujer. Sin embargo, nunca se me ocurrió buscar a mi padre o a mi abuelo en mis novios, ya los había tenido, ¿para qué buscarlos? En cambio, la búsqueda de mi madre en todas las mujeres proseguía.

Quedamos a las ocho de la tarde en una cafetería del barrio, ella también vivía cerca. Había poca gente, era una hora un poco rara las ocho de la tarde. Me senté en una mesa al lado de la entrada. ¡Qué nervios! Tanto tiempo sin vernos. Igual me encontraba feísima. Me sentía como cuando después de un tiempo me reencontraba con un exnovio que todavía me gustaba un poco. Con los que ya no me gustaban en absoluto intentaba no quedar, aunque a veces cedía, claro, a pesar de todo siempre procuraba ser buena persona. Iba muy mal vestida, lo que en casa me había parecido una buena idea —unos vaqueros demasiado grandes y una camisa de rayas azules—, en realidad no lo era. Si por lo menos la camisa hubiese sido de seda o los pantalones de mi talla. Se salvaban las uñas, del mismo rosa pálido, como una nubecita, en pies y manos. Seguro que se da cuenta, pensé. Un hombre no se fijaría (y Beatriz probablemente tampoco), le parecería lo más normal del mundo que una mujer tuviese unas uñas como pétalos, pero de pronto desearía besarle las manos sin saber por qué.

Mientras esperaba a Sandra, me llamó cinco veces. «¿Dónde hemos quedado?» «¿A qué hora?» «¿Has llegado ya?» «¿Qué tal estás?»

No era fácil quedar con Sandra. Unos días antes me había llamado a la hora de comer.

–¿Quieres comer?

–Estoy comiendo. ¡Son las dos y media!

–¿Ah, sí? ¿Y cómo es que comes tan temprano?

–Pues, no sé, tenía hambre. No es tan temprano. ¿Quieres almorzar mañana?

–No, no, mañana, imposible.

Y al día siguiente, a las dos y media en punto, me volvió a llamar para ver qué planes tenía para comer.

–¿Quieres venir de una vez? –le dije después de la tercera llamada.

Se echó a reír.

–Eres mala, ¿eh? Mala mala.

Sonreí. Solo mi madre y Sandra me habían dicho que era mala, bueno, mala no, «mala mala», que era mucho menos grave. Marc también lo hacía algunas veces, en broma, para parodiar a su abuela.

Los hombres temían y adoraban a Sandra. Ellas la detestaban, no porque sintiesen celos de aquellos rasgos tan bonitos —el cabello lacio color miel, las cejas gruesas y oscuras, los profundos ojos azules, la boca burlona y la barbilla pequeña y puntiaguda— y de aquel cuerpo dorado y flexible que parecía hecho para bailar toda la noche y yacer sobre la arena durante el día, sino porque Sandra siempre decía lo primero que se le pasaba por la cabeza, que en general era una impertinencia. No lo hacía por mala voluntad o para fastidiar, era simplemente lo que pensaba y lo que a veces pensábamos todos sin atrevernos a decirlo en voz alta.

Me había llamado unas semanas después de la muerte de mi padre. En aquella época ya no nos tratábamos, no íbamos a la misma clase y hacía mucho tiempo que no tenía noticias suyas. Al cabo de un minuto y medio de conversación durante el cual solo habló ella, exclamó:

—¡Pues no pareces muy afectada! ¿No?

Sandra era así, también le costaba bastante conservar las amistades.

Llevaba una minifalda vaquera, unas alpargatas de cuña y una camiseta descolorida. De niña siempre quería ir vestida como ella, a su madre le encantaba la ropa y sus hijas (Sandra tenía una hermana pequeña) iban siempre muy bien vestidas, mientras que a mi madre la moda le importaba un pimiento. Mi hermano y yo llevábamos ropa práctica y de buena calidad, y yo tenía algunos vestidos de fiesta para los días especiales, pero nada que ver con los conjuntos que Sandra y su hermana llevaban al colegio.

—¡Qué guapa estás! —exclamó al verme.

Siempre es la gente más guapa que tú la que te dice que estás guapa.

—Tú sí que estás guapa —dije yo.

Como quería fumar, salimos con las bebidas a la terraza, era un poco temprano, pero habíamos pedido vino para celebrar el reencuentro.

—¿Gema? Sí, sí, claro que me acuerdo. Fue horrible —dijo cuando le pregunté—. Pero no voy a poder darte muchos detalles, hace tanto tiempo. Me acuerdo de sus fiestas de cumpleaños, eso sí, y de los sorbetes de frambuesa que hacía su padre.

—Sí, vaya fiestas, ¿eh?

—Maravillosas. Ahora todas son en esos lugares espeluznantes que llaman «chiquiparks».

Nos echamos a reír.

84

–¿Y te acuerdas de que un día, después de comer, Gema organizó una boda en el patio? Teníamos unos seis años. Casó a Isabel Margarit con un niño, no recuerdo quién.

–¡Sí! ¡Me acuerdo! Nosotras fuimos de invitadas. Gema hacía de cura, se puso la bata del comedor como si fuese una capa e hicimos los anillos con la piel de un plátano. Fue genial. La mejor boda a la que he asistido.

–Sí, la más breve –dije.

–Voy a pedir algo de comer, que si no nos vamos a entrompar –dijo entonces levantándose.

¡Qué familiar me resultaba todo en Sandra! A veces, llevados por el entusiasmo decimos de alguien a quien acabamos de conocer: «Es como si lo conociese de toda la vida», pero nunca es cierto, nada puede sustituir a toda la vida, solo la acumulación de momentos, horas y días que acaban conformándola.

Volvió con un platito de almendras saladas y una bolsa de patatas.

–¿Y por casualidad recuerdas si regresó al colegio Gema?

–Pues no lo sé, la verdad. ¿Regresó?

–Sí, sí, yo la vi.

Hacía un rato que sin darse cuenta jugueteaba con el móvil, lo dejó encima de la mesa y sacó el tabaco de liar.

–¿Quieres que te líe uno? –preguntó–. No tienen droga. Tranquila.

Nos echamos a reír de nuevo. El nivel de nuestras bromas era el mismo que en el colegio.

–Sí, por favor.

–¿Y qué tal estás con tu novio? ¿Sigues saliendo con aquel actor? –Y, sin darme tiempo a contestar, añadió–: Son pesados los hombres, ¿eh? Pesados pesados. Yo estoy saliendo con un chico desde hace unos meses y no sé qué hacer, es muy buen tío, pero...

Y a continuación se puso a enumerar las razones a la vez frívolas y profundas (como son siempre las razones para amar y para dejar de amar a alguien) por las que no sabía si cortar con él.

Decimos: «le amé porque sabía tocar los bongós», «lo dejé porque siempre se dejaba la luz del vestíbulo encendida», «porque sabía arreglar la lavadora», «porque en realidad era un amante pésimo», «porque nunca dejaba a nadie en la estacada», «porque no sabía hablar con los animales», «porque era un cobarde».

–¿Cómo va vestido Bruno? Ricard lleva unas camisas horribles, horribles de verdad.

–Va bien vestido. Le gusta la ropa –respondí.

–¡Pues no sabes la suerte que tienes!

–Bueno, no es tan grave llevar camisas horribles, ¿no?

86

Me miró abriendo mucho los ojos.

–Pues sí, es bastante grave y lo sabes perfectamente, no te hagas la buena conmigo.

Y nos echamos a reír de nuevo.

–No le habrás dicho que sus camisas son horribles, ¿verdad?

–No con esas palabras, no, pero hemos acordado que a partir de ahora iremos a comprar su ropa juntos.

Un día, en Cadaqués, muchos años atrás, estaba yo desayunando en el casino cuando apareció Simón, uno de mis mejores amigos de la época. Sandra acababa de llegar a Cadaqués para pasar unos días en casa y la noche anterior había empezado un idilio con él. «¿Qué tal con Sandra? ¿Fue bien?», le pregunté cuando se sentó a mi lado con una Coca-Cola, un bocadillo de tortilla y su encantadora expresión de despiste y de sueño. Simón era pianista en una banda de rock y el más atractivo de mis amigos. Sandra debía de estar durmiendo o trepando por las rocas, aquel año le había dado por ir a buscar mejillones. «Sí, sí, fue bien», respondió. Dio un sorbo a la Coca-Cola, parecía más perplejo que de costumbre: «Pero cuando acabamos me dijo que en realidad la penetración no le interesaba.» Intenté no echarme a reír. «Está muy loca», dije para consolarle.

Sandra, la más burguesa y convencional de mis

amigas, era la que en realidad lo era menos. La libertad es un don, como la belleza o el talento, casi nunca se conquista.

—Y encima tiene hijos —añadió suspirando— y vive en la misma calle que sus exsuegros.

—Tú también tienes una hija.

—Pero los suyos son pequeños. ¿Y qué me dices de vivir en la misma calle que sus exsuegros?

Imaginé al novio organizando una mudanza de emergencia. Si fuésemos capaces de vivir las relaciones amorosas con la misma ligereza con que hablamos de ellas con nuestras amigas después de unas copas, todo sería más fácil, pensé.

El vino se había acabado, y había anochecido.

—Se hace tarde —dije desperezándome y mirando hacia la calle desierta.

Me puso la mano sobre el brazo:

—¡Espera! Que todavía no te he contado lo peor de todo. —E inclinándose hacia mí como si fuese a contarme un gran secreto, susurró—: Hace pipí sentado.

Nos echamos a reír otra vez. Reíamos con la misma risa boba y escandalosa de la niñez que solo lograban frenar, y no siempre, las amenazas de los profesores de expulsarnos de clase o de ponernos un cero en conducta.

—¡Y no me vengas con que es normal, como lo de las camisas feísimas! Seamos serios: no puedes pretender tener novia y hacer pipí sentado. Es así de sencillo. La única manifestación de la superioridad masculina sobre la femenina es la de poder hacer pipí de pie, en todo lo demás no nos llegan ni a la suela del zapato. Es lo único que les queda, hacer pipí de pie y haber pisado la Luna, si renuncian a eso, ya me dirás. Pero claro —añadió pensativa—, si lo dejo, ¿quién me hará mimitos?

Se quedó callada unos instantes evaluando la cuestión y de pronto exclamó, mirándome las manos:

—¡Qué esmalte de uñas tan bonito! Me encanta. ¿Sabes que no he conocido ningunas manos tan bien como las tuyas? Ni las de ningún hombre. Las reconocería en medio de miles.

—¿Te acuerdas de que cuando nos aburríamos nos las acariciábamos por debajo de la mesa? Un rato tú y un rato yo. Cuando la profesora nos pescaba se enfadaba muchísimo.

—Sí, claro que me acuerdo —dijo.

Nos levantamos para marcharnos.

—Oye, ¿te puedo pedir una cosa? Si algún día escribes otro libro, ¿podré salir yo?

—Pues no tengo ni idea, no sé si voy a escribir otro libro.

—Si salgo, quiero salir con mi nombre. ¿Te parece bien?

—Muy bien —dije—. Lo intentaré. El dueño del

restaurante de al lado de casa también quiere salir, y el padre de Marc. No sé cómo voy a encajaros a todos, pero ya me apañaré. Aunque sois bien raros, la gente suele pedir lo contrario, no salir en las novelas de sus amigos o amantes por miedo a ser despedazados.

¡Como si un escritor pudiese decidir esas cosas!, pensé. No hay nada ni nadie que un autor no esté dispuesto a utilizar –y descuartizar– si eso significa conseguir una buena frase o un buen párrafo.

Me abrazó.

–Muchísimas gracias, me hace mucha ilusión. Sobre todo pon mi nombre, ¿eh?

La observé mientras se alejaba caminando por la calle vacía, de pronto se dio la vuelta y exclamó:

–Y otra cosa: ¿por qué llevas esos vaqueros tan deformes y caídos? Podrías llevar algo más mono, ¿no?

11

Tenía razón sobre los vaqueros, en cuanto llegué a casa me los quité y decidí no ponérmelos nunca más. Salir a la calle mal vestido es una pequeña derrota insoportable, pensé. ¿Acaso no es posible vestir de un modo neutral, ni eufórico ni desesperado, justo y preciso, ni humilde ni ostentoso, ni demasiado práctico ni demasiado lujurioso? Como Albert Camus, como los personajes de las novelas de Natalia Ginzburg o como la propia Ginzburg. La inteligencia vestía bastante, pero no lo suficiente. ¿Y qué ocurría últimamente con todos esos hombres corriendo por las calles con chaquetas demasiado entalladas, camisas demasiado estrechas y pantalones demasiado cortos? ¿No ven que nadie puede tomarse en serio a un hombre que muestra sus tobillos?, pensé. Los tobillos de los hombres son su talón de Aquiles. Y además así la historia cobraría mucho más sentido. Porque ¿a quién se le ocurre agarrar a un bebé por el talón para sumergirlo en las aguas de la inmortalidad? Lo lógico es por el tobillo.

Pero los tobillos de las mujeres pueden resultar muy bonitos, me dije mirando los míos sobre el sofá. Lo opuesto ocurre con los antebrazos, nuestros antebrazos no tienen ningún interés, en cambio los de los hombres pueden lograr incluso que te enamores.

Bruno va un poco demasiado bien vestido para ser elegante, a veces luce prendas que parecen verdaderamente caras. Hay que vestir todo lo pobremente que se pueda sin dejar de parecer rico.

Echaba de menos a Bruno. Habría podido coger un avión a la mañana siguiente y al mediodía estar navegando con él por el Mediterráneo, zambulléndome en el mar, explorando grutas marinas y tomando el sol en la barca mientras bebíamos cerveza y jugábamos a descubrir formas mitológicas y monstruosas en las rocas.

Vivía casi en la montaña, desde mi ventana veía el Tibidabo, su ladera y la torre de comunicaciones. Percibía los cambios de las estaciones en los árboles, no en los destellos de las olas. Bajar al puerto, a una de sus playas arenosas y a aquel mar desvaído y largo, era un pobre consuelo que solo servía para hacerme anhelar con más intensidad el paisaje agreste y dramático de Cadaqués, su horizonte nítido e infinito, distinto a todos los demás horizontes del mundo. No estaba segura de que todos tuviésemos un lugar en el mundo, pero sabía que todos teníamos un horizonte. Y también habría podido salir en aquel preciso momento y estar en Cadaqués en dos horas y media. ¿Por qué no lo hacía?

Estaba frenada, hacía meses que iba al ralentí, sin saber ni cómo ni por qué, mi vida tan cómoda, tan feliz y tan llena de estímulos se había ido ralentizando, había perdido impulso y brío y había ido a detenerse justo delante del restaurante del padre de Gema.

Los recuerdos de Sandra no validaban los míos: no sabía si Gema había vuelto al colegio, había pasado demasiado tiempo y de todos modos habría sido una memoria sin valor alguno para su mente práctica y burlona, lo habría olvidado al cabo de dos minutos. Y mis propios recuerdos empezaban a hacerse borrosos. Ya no me alimentaba de ellos directamente, ya no tenía acceso a la fuente original, no era capaz de regresar al instante, sino al recuerdo del instante, a veces era como si otra persona los hubiese vivido y me los estuviese contando.

Me ocurría lo opuesto a Proust y a sus fulgurantes experiencias de la memoria que lo lanzaban a través de los años directa, sensorial y casi físicamente al momento vivido. Proust era el único que había sido capaz de realizar con éxito viajes en el tiempo, la ciencia le iba muy a la zaga. Yo tenía la sensación de que mi memoria era una bufanda a medio tejer de la que pendía un hilo y que, si tiraba de él, todo desaparecería, me quedaría con un amasijo incomprensible de lana en las manos.

Cada vez me resultaba más difícil regresar al recuerdo de Gema en el patio, lo único que quedaba, sólido y rotundo, indiscutible, era el gesto de su largo cuello pálido al volverse hacia mí. Estábamos en el patio antes de entrar a clase. Era invierno. Ella estaba rodeada de sus amigas y yo de las mías. Tal vez soplase el viento y el aire fuese gris. Al verla me separaba de mis compañeras y me dirigía hacia su grupito, entonces Gema se daba la vuelta y me miraba. Y en ese momento preciso todo lo demás desaparecía, engullido por un torbellino de polvo como en *El mago de Oz*. Solo me quedaba aquel gesto circular, su hermosa nuca y su sonrisa cansada.

Al día siguiente, Sandra me mandó una fotografía de la clase. Nosotras estábamos en primera fila, sentadas en el suelo una al lado de la otra con las piernas cruzadas, en el apogeo de nuestra amis-

94

tad, a los seis o siete años. Sandra tenía las manos sobre el regazo y llevaba un vestido de cuadritos verde pistacho encima de un jersey fino de cuello cisne de color crudo. El flequillo rubio y lacio le llegaba justo por encima de los ojos y le tapaba las cejas. Su mirada era dulce, segura e inquisitiva, un poco socarrona tal vez, como si no confiase plenamente en las dotes del fotógrafo. Yo estaba inclinada hacia un lado con el codo sobre la rodilla y la mejilla apoyada en el dorso de la mano. Era la única que no posaba erguida. Parecía más resignada que contenta, no miraba al objetivo y estaba haciendo una mueca extraña, tal vez debido al sol. Llevaba una falda escocesa en tonos mostaza y beige con un cuello vuelto de lana beige a juego con los calcetines. Una de mis rodillas quedaba al descubierto. La profesora era *Madame* Chéri, la única profesora de primaria que recordaba. Siempre llevaba tacones y lucía una larga melena rubia ondulada. En comparación, mi madre, con sus jerséis de cuello alto, sus zapatos planos y sus ponchos, y mi abuela, con sus trajes hechos a medida, sus jerséis de cashmere y sus pañuelos de seda en el cuello, me parecían el colmo del aburrimiento y de la falta de imaginación. En la fotografía llevaba un abrigo blanco. No sonreía, su postura era solemne y fruncía un poco el ceño, tal vez debido al sol, como yo. Gema no salía, no sale en ninguna parte, pensé. Tal vez estaba enferma el día de la foto, en aquella época siempre había alguien que tenía acetona o dolor de garganta y a todos nos encantaba caer enfermos y quedarnos en casa.

Y la escena opuesta, que tuvo lugar un año antes de que tomaran la fotografía que me había mandado Sandra: estoy en el Parvulario Pedralbes, una guardería-residencia donde la burguesía menos convencional deja a sus vástagos el fin de semana para poder irse de fiesta. Mi amiga y yo hemos logrado subir a la banqueta del piano, que siempre está cerrado, y fingimos tocarlo tamborileando con los dedos sobre la tapa de madera. Entonces aparece una maestra acompañada de un hombre con una cámara de fotos colgada al hombro. Los padres de mi amiga le han encargado al fotógrafo de la escuela retratar a su hija. Harán las fotos en el jardín, donde la luz es mejor y el entorno más bonito. La maestra me dice que tengo que quedarme a jugar sola en el salón hasta que acaben. ¡Pero yo también quiero que me hagan una foto! Tengo cinco años y de pronto, por primera vez en mi vida, me embarga una sensación de poder absoluto, indiscutible: voy a conseguir que el fotógrafo me haga una foto. Entonces me acerco a los ventanales del salón, abro las cortinas y veo al hombre y a mi amiga justo detrás del cristal. Él mira a través del objetivo y ella está sentada en un banco. Golpeo

el cristal con los nudillos y empiezo a hacer mone-
rías, no payasadas (todavía no tengo suficiente
confianza en mí misma para hacer payasadas y
además soy una niña orgullosa de ser una niña, yo
no hago payasadas): finjo esconderme, me asomo,
sonrío feliz o dulce, pongo cara de sorpresa, de
ensueño, de curiosidad, en resumen: juego. Y el
fotógrafo olvida por unos instantes a su pequeña
y obediente modelo y me hace una foto.

Al cabo de unos días, una vez revelada, se la
entregó a mi madre.

–Mira qué fotografía tan bonita te hicieron sin
que te dieses cuenta –me dijo al mostrármela.

La colocó en el álbum de fotos y al cabo de
muchos años le conté la verdadera historia de aquella imagen, el descubrimiento de aquella sensación
de poder y de vértigo que experimenté entonces
por primera vez y que provoca todo intento serio
de seducción (y para mí todos lo eran).

Todos somos esto y aquello, la niña mal sentada que con su postura y su mueca rompe la armonía de la foto del colegio y la niña deseosa de
que la miren y la retraten.

12

Sentía que me iba alejando de Bruno, lentamente, como cuando un buque de vapor sale del puerto, gordo y perezoso, dejando tras de sí un rastro espumoso y centelleante. No nos daríamos cuenta y estaríamos muy lejos el uno del otro, el mar en calma, el horizonte despejado y una nueva nostalgia en el corazón.

–¿Por qué no vienes? ¡Anda, ven! Lo pasaríamos genial –dijo Bruno.

Me llamaba una vez al día y me mandaba montones de mensajes. Por teléfono me contaba lo que hacía y en los mensajes lo que le gustaría hacerme. La letra escrita permitía mayor intimidad y juego. A través de los mensajes de texto era capaz de leer la mente del que los había escrito. No sabíamos quién era alguien sin haberlo tratado en persona, pero tampoco sin haberlo leído. No hablábamos de cómo nos sentíamos.

–Me encantaría. Te echo de menos, pero tengo que trabajar –respondí–. Voy muy lenta con la traducción.

–La casa es preciosa y las amigas de Virginia son estupendas.

Es verdad, está con Virginia, pensé.

–¿Y qué tal con Virginia?

–¡Muy bien! Es otra persona aquí, más divertida, más relajada, ni siquiera hablo de negocios.

Es más fea que yo, pensé. Vaya, eso creo. Y el buque de vapor escoró un poco a babor.

–¡Ah, qué bien! –dije.

–Venga, ven –insistió.

–Vale, lo pensaré.

Solo deberíamos hablar con la gente a la que deseamos besar, me dije un día después al escuchar los besos sonoros y como de metralleta que me mandaba Marc –como si volviese a tener cinco años en vez de diecisiete– por teléfono.

Les escribía cada día y les llamaba cada dos o tres. A menudo eran conversaciones muy breves: «¿Qué tal?» «Bien.» «¿Hace buen tiempo?» «Sí.» «¿Comes bien?» «Sí.» «¿Qué tal papá?» «Bien.» «¿Está frío el mar?» «No.» «Muy bien, pues. Que sueñes con los angelitos. Te quiero.» «Ya.» Pero era suficiente. Les decía a menudo que les quería, deseaba que tuviesen un arsenal de te quieros, para el futuro, por si acaso alguna vez dentro de muchos años se les ocurría pensar el disparate de que no eran amados.

Me había dado cuenta de que el amor de mis padres, que durante un tiempo después de su muerte creí que se había evaporado, se había reproducido con más intensidad si cabe en mis hijos. Era la única herencia posible, aquel amor como una piedra ardiente que nos íbamos pasando unos a otros. No era huérfana porque tenía hijos y porque, seamos serios, nadie es huérfano a partir de los treinta años.

Traducía sin demasiado entusiasmo. Esta vez el libro que me había dado Paco, mi amigo editor, era un verdadero tostón. Tal vez lo haya hecho para vengarse de mi lentitud y de mi falta de formalidad, pensé. Sin embargo, me gustaba traducir, era agradable volcarse en las palabras de otro, intentar transmitir lo que una persona más lista y más sabia había querido decir. Siempre trataba las palabras ajenas con muchísimo cuidado, las ponía bajo una lupa, las tendía al sol, las observaba desde todos los ángulos posibles como si fuesen pequeños artefactos arqueológicos, y no dejaba de darles vueltas hasta que por fin desvelaban su verdadera intención. No era rápida, pero era muy minuciosa. Nunca quedaba del todo satisfecha con el resultado. Como lectora ¡había tirado más libros a la basura por estar mal traducidos que por estar mal escritos! Y cuando alguna vez acababa conociendo al autor del libro que había traducido, me parecía estar saludando a un viejo amigo de toda la vida. Ellos, naturalmente, no compartían aquella impresión y debían de pensar que la mujer que los miraba sonriendo como una boba y asintiendo sin parar era una chiflada.

Estaba a punto de ponerme a trabajar cuando me llamó Marta:

–He encontrado unas cuantas necrológicas de Gema en el periódico, o, bueno, recordatorios, como se llamen –me dijo después de saludarme. No habíamos vuelto a hablar desde el día de la comida en casa.

–Sí, esquelas. ¿En serio? ¡Qué bien!

–Simplemente poniendo su nombre en «búsquedas» del periódico, me han salido cinco necrológicas, de años aleatorios, 91, 92, 94, 99 y 2005. Pero si entras en la hemeroteca seguro que encuentras más, ahí están escaneados todos los diarios desde 1881.

–Muchísimas gracias. Lo miraré –dije.

–Por cierto, ¿sabes algo de Beatriz?

–¿De Beatriz? No, esta semana no he hablado con ella. ¿Por qué? ¿Le ha pasado algo?

–La verdad es que creo que no está bien –contestó Marta–. En tu casa la vi un poco triste y desanimada. ¿Tú no te diste cuenta? La llamé unos días después y seguía igual, creo que es por la enfermedad de su madre.

–¿Tú crees? Hace diez años que su madre está enferma, no sabía que hubiese empeorado, a mí no me ha dicho nada. De todos modos, la llamaré, claro.

–Sí, sí, hazlo, le hará ilusión, después de todas las cosas terribles que le dijiste el otro día sobre sus dientes.

Nos echamos a reír.

–¡Ah! Calla, calla. ¡No me hagas pensar en cosas terribles! La llamaré, no te preocupes.

Estuve trabajando toda la mañana y al mediodía, mientras me comía un bocadillo delante del ordenador, entré en el periódico. Marta tenía razón, no había solo cinco esquelas, había muchas más. Las fui anotando:

13-2-1989 Primer aniversario
Te fuiste a la casa del Padre el 13 de febrero de 1988. Aquel día se apagó tu vida terrena pero se encendió una esperanza en nuestro corazón. Seres como tú no mueren: se transforman en estrella y en esperanza. Es esta pervivencia lo que cultivaremos en la misa que tendrá lugar en la Parroquia Castrense.

13-2-1990 Segundo aniversario
Tu recuerdo permanece en nuestros corazones,
en tu memoria celebraremos una misa que tendrá lugar en la Parroquia Castrense.

13-2-1991 Tercer aniversario
Tu recuerdo permanece en nuestros corazones.
En tu memoria rezaremos unas oraciones.

13-2-1992 Cuarto aniversario
Gema, hoy y todos los días, estás con nosotros,
queremos que continúes viviendo entre nosotros. En su memoria, rogamos una oración.

13-2-1993 Quinto aniversario
El tiempo suaviza nuestra pena y fortalece nuestro recuerdo de ti. En tu memoria rezaremos una
oración.

13-2-1994 Sexto aniversario
Sigues en el recuerdo de todos aquellos que te
conocieron.

13-2-1995 Séptimo aniversario
Tu recuerdo sigue latente en nuestro corazón y
en aquellos que te conocieron.

13-2-1996 Octavo aniversario
Fuiste lo mejor de nuestras vidas y como tal te recordamos. Tus padres, familia y amigos.

13-2-1997 Noveno aniversario
Los años pasan, pero tu recuerdo sigue con fuerza en todos los corazones que te conocieron.

13-2-1998 Décimo aniversario
Tus recuerdos son la fuerza de nuestra vida.

13-2-1999 Undécimo aniversario
Tu recuerdo supera todas nuestras dificultades.

13-2-2000 Duodécimo aniversario
Tu bondad y amor hacia los demás son la razón de nuestra existencia.

13-2-2001 Decimotercer aniversario
A pesar de los años, tú sigues con todos nosotros con la misma fuerza que el primer año.

13-2-2002 Decimocuarto aniversario
Los años pasan pero tú siempre estarás en nuestro corazón y en el de todo aquel que te conoció.

13-2-2003 Decimoquinto aniversario
Dios te llamó y tú, obediente, te fuiste, deján-

donos en el más profundo vacío. A pesar de ello, nunca te olvidaremos.

13-2-2004 Decimosexto aniversario
Entrastes [hay una errata en el texto impreso] con tanta fuerza en nuestros corazones que tu recuerdo permanece latente en todo aquel que te conoció.

13-2-2005 Decimoséptimo aniversario
Tu recuerdo supera todas nuestras dificultades.

13-2-2006 Decimoctavo aniversario
Tu recuerdo supera todas nuestras dificultades.

13-2-2007 Decimonoveno aniversario
Sabemos que desde donde te encuentres nos estás ayudando en todo y te damos las gracias por ello y por todas las satisfacciones que nos diste en vida.

13-2-2008 Vigésimo aniversario
Tu bondad y amor hacia los demás es motivo de nuestra existencia.

13-2-2009 Vigesimoprimer aniversario
Los años pasan, pero tu recuerdo sigue con fuerza en todos los corazones que te conocieron.

13-2-2010 Vigesimosegundo aniversario
El tiempo suaviza nuestra pena y fortalece nuestro recuerdo hacia ti. En tu memoria, rezaremos una oración.

13-2-2011 Vigesimotercer aniversario
El tiempo suaviza nuestra pena y fortalece nuestro recuerdo de ti. En tu memoria, rezaremos una oración.

13-2-2012 Vigesimocuarto aniversario
Gema, a pesar de los años, sigues en el corazón de todo aquel que te conoció por tu bondad y cariño al prójimo. Tus amigos y familia te pedimos que sigas con todos nosotros.

Allí estaba Gema. Y no había fallecido en primavera sino en invierno —y el cielo se oscureció, se formó un remolino y por él descendieron un suéter azul pálido para Gema y una bufanda a rayas para mí–. Y sus padres habían estado poniendo esquelas durante veinticuatro años. No había sido olvidada, no tan deprisa. Y por lo visto ella había dejado a sus padres un arsenal de te quieros. La última era de 2012. ¿Habían muerto?

Tal vez se habían convertido ellos mismos en una esquela, o se cansaron —debieron de vivir siempre exhaustos después de aquella muerte–, se olvidaron, se pusieron enfermos, tal vez una bruma diabólica o compasiva atenuó el recuerdo de su hija, quizá la cercanía de su propia muerte les asustase y pensaran que de todos modos la verían pronto. Habían puesto veinticuatro esquelas, eran muchas, pero habría preferido que siguiesen: 2013, 2014, 2015... Todo debería durar siempre, pensé, como líneas rectas interminables que no se detuviesen nunca, nuestra infancia, nuestra juventud y nuestra madurez, y nosotros podríamos ir pasando de una vía a otra como quien cambia de carril en una autopista, dando saltitos a la pata coja por nuestra vida como por las casillas de la rayuela.

Pensé en los padres de Gema, reencontrándose cada mañana del mundo al abrir los ojos con aquella muerte, usada y cada vez más polvorienta y sorda para todo el mundo menos para ellos. Ellos debían de estrenarla cada día, nueva y rutilante, recién hecha.

Un día, mi madre me contó la historia de una amiga suya cuyo hijo había muerto a los veinte años en circunstancias muy dramáticas (¿pero cuáles no lo son?). Ella sobrevivió muchos años, pero cada vez que tenía que escribir una carta o poner la fecha en un formulario o en algún papel, ponía sin darse cuenta, sin pensarlo siquiera, la fecha de la muerte del chico, como si no hubiese pasado ni un solo día desde entonces, como si todo se hubiese detenido para siempre en aquel momento.

13

Aparqué el coche a los pies de la avenida que cada mañana recorría desde la parada del autobús hasta el colegio y en sentido contrario por la tarde. Me habían citado a las once.

Había escrito al Liceo Francés para ir a hacerles una visita. Pensaba que tal vez alguna vieja profesora recordase a Gema o a sus padres, y sentía curiosidad por volver a ver el patio. Será muy romántico volver a pasear por el patio de mi infancia y juventud, me dije. Algunas cosas las hacemos solo para vérnoslas hacer o para que otros nos las vean hacer.

A causa de los atentados islamistas, las vallas de alambre que rodeaban el Liceo habían sido sustituidas por unos altos muros de madera clara que le daban la apariencia de un castillo fortificado.

Para entrar tuve que pasar por una garita de seguridad donde me pidieron el DNI y me dieron una tarjeta plastificada de «visitante» que guardé en el bolso. ¡Cómo había cambiado todo! En mi época, entrábamos y salíamos de la escuela cuando nos daba la gana, no existía ninguna medida de seguridad que no fuese fácilmente eludible si uno tenía unos padres permisivos o si sabía falsificar su firma. En el vestíbulo me crucé con dos hombres, que me saludaron en francés sonriendo. Había unos operarios trabajando encima de un voladizo que levantaron la cabeza al oír mis pasos y acto seguido prosiguieron con su labor. Por lo demás, la escuela parecía vacía. Más tarde, la secretaria del *proviseur* me contó que iban a convertir el voladizo en un espacio *chill out*. El patio estaba desierto.

Era la primera vez que ponía los pies en el despacho del *proviseur*. De adolescente era bastante rebelde, pero no me gustaban las gamberradas. Nunca me castigaban, nunca me mandaron al despacho del director. Un día, una amiga me confesó que una profesora le había aconsejado que no me tratase porque según ella yo era una mala influencia. Aquello me hizo muy feliz, ¡todas soñábamos con ser una mala influencia!, ¡no había mayor piropo!, pero no se correspondía en absoluto con la realidad.

Era un despacho bastante grande y estaba decorado de un modo impersonal, en tonos grises y marrones. Seguro que está igual que cuando yo era alumna, pensé. Las amplias ventanas correderas daban al patio, nunca lo había visto desde aquel ángulo, con aquella visión del conjunto, desde allí los niños debían de parecer pulgas. *Monsieur* González era un hombre afable de mediana edad, llevaba un traje de color gris, de su talla pero no demasiado planchado, con una hombrera un poco más baja que la otra, que le daba un aspecto cercano y simpático, un poco vacilante, como si tuviese una pata de palo, nada que ver con los temibles *proviseurs* de mi época. Parecía serio, pero flexible, inspiraba confianza, hubiese podido ser el panadero generoso y bonachón de un cuento de hadas. Seguro que le gusta comer y que disfruta de un buen chiste, pensé. No mostró el menor interés en hacerse amigo mío, solo quería ayudarme.

—No es fácil, ha pasado mucho tiempo —dijo después de que yo le explicase que buscaba a alguien que recordase a Gema—. A ver qué podemos hacer. —Y salió del despacho—: Ahora vuelvo.

Dirigí la mirada hacia el patio, me pareció oír una vocecita muy débil y lejana, pero no entendí nada de lo que me decía. ¿Todos los patios de colegio son igual de feos o este lo es especialmente?, me pregunté. Al cabo de unos minutos *Monsieur* González regresó acompañado de su secretaria y de la persona que se encargaba de las relaciones

110

externas del Liceo. La reconocí al instante: ¡era Isabel Margarit, la niña a quien Gema había casado en el patio treinta años atrás!

En la fotografía que me había mandado Sandra, Isabel aparecía sonriente y desdentada con un jersey rojo de cuello cisne, la melena tipo paje, corta y muy rubia, casi albina, y un rostro abierto y simpático, muy bonito, pero sin el misterio y la crueldad desenfadada de Sandra. No había cambiado, seguía teniendo aquel aspecto saludable, práctico y un poco calvinista de la infancia. ¡Uf! ¡Menos mal!, me dije. No me he pegado ningún susto esta vez. Ella también me reconoció.

–Bueno, supongo que tendrán mucho de que hablar –dijo *Monsieur* González sonriendo–. Y yo tengo trabajo. *Madame* Margarit, ¿sería usted tan amable de acompañar a su antigua compañera de clase a dar una vuelta por la escuela? Seguro que eso le agradaría.

Asentí complacida. ¡Qué amabilidad y elegancia! Mi primer encuentro con la máxima autoridad del Liceo no podía haber ido mejor. Se lo tengo que contar a Marta y a Beatriz, pensé, se morirán de envidia, especialmente Beatriz, que lleva a sus hijos al Liceo y que me dijo que ni siquiera lo conoce.

–Vamos –dijo Isabel–, pasaremos primero por el despacho del departamento de español, *Madame*

Mas era vigilante de patio en nuestra época. Tal vez ella recuerde a Gema.

Madame Mas estaba al teléfono discutiendo a voz en grito con un padre que no estaba de acuerdo con las notas de su hijo. Al vernos, gesticuló para que nos esperásemos y puso los ojos en blanco. Vi que en el tablón de corcho que tenía a su espalda había varias fotos de ella disfrazada de Don Quijote en medio de una fiesta. Al acabar la conversación, se lanzó a mis brazos:

—Me encantaba tu madre —dijo—. He leído todos sus libros.

—¿Sí? ¡Qué bien! Muchas gracias —respondí intentando disimular la enorme satisfacción, gratitud y nostalgia que sentía siempre que alguien recordaba a uno de mis muertos queridos.

—¡Qué raro! —murmuró cuando le contamos el motivo de nuestra visita—. No recuerdo a ninguna Gema que muriese de leucemia. ¿Estáis seguras? —Y al ver nuestra mirada de estupor y de incredulidad añadió—: No digo que no ocurriese, ¿eh? Pero ¡había tantos niños! Cada verano se mataban dos o tres en moto, se iban y ya no regresaban nunca más. Vosotras solo teníais ocho o nueve profesores y treinta compañeros de clase, pero yo he tenido a cientos de alumnos, no puedo acordarme de todos.

—Sí, claro, tanta gente. Es normal que no se acuerde —dije yo.

–Bueno ¿y qué más queréis saber, chicas? ¿Qué me contáis?

Entonces volvió a sonar el teléfono.

–Es un poco parlanchina –se excusó Isabel cuando salimos de su despacho–. ¿Te apetece ir a dar una vuelta por el campo de deportes? –me preguntó mientras bajábamos las escaleras.

–En realidad lo que me gustaría es salir a fumar –dije–. Supongo que está prohibido, ¿verdad?

–Dentro de la escuela sí, claro, pero podemos salir fuera.

–¿Cómo has acabado trabajando en el Liceo?

–Tantos años deseando salir del colegio para acabar trabajando aquí, ¿no? –dijo sonriendo–. Pues verás, yo en realidad soy veterinaria, pero hace diez años me fui con mi marido y nuestros cuatro hijos a vivir a Suiza. Allí hacía de veterinaria de animales de granja, que son los que me interesan, vacas, corderos, esas cosas. Pero entonces a Alberto le surgió una buena oportunidad de trabajo en Barcelona y regresamos. Al llegar me di cuenta de que no tenía demasiadas ganas de pasarme el día desparasitando a perros falderos en una consulta de ciudad. Y como no había perdido el vínculo con el Liceo, un día me enteré de que necesitaban a alguien para las relaciones externas e institucionales.

Me apoyé en la valla de madera que antes era de alambre y saqué el paquete de cigarrillos. Le ofrecí uno a Isabel convencida de que me diría que no.

—¡Venga, sí! ¡Por Gema! —dijo—. ¿Sabes que la última vez que la vi estábamos justo aquí? Ella estaba fumando, era antes de las vacaciones de Navidad. Estuvimos charlando un rato, la verdad es que ella tenía muy mal aspecto, había perdido mucho peso, era evidente que algo le pasaba. «Me han dicho los médicos que igual tengo apendicitis», me dijo, «tal vez me tengan que operar.» No parecía nada preocupada. Al cabo de dos meses estaba muerta. —Dio una calada al cigarrillo—. Creo que yo estaba esquiando el día que murió.

—¿Y no volviste a verla? ¿Sabes si regresó al colegio algún día después de que le diagnosticaran la enfermedad?

—Pues no lo sé. —Bajó la mirada y suspiró—. Fue difícil para mí aquella muerte. La quería mucho. Éramos muy amigas.

—¿Y no fuiste a verla al hospital?

—No.

Al otro lado de la calle, las escaleras de piedra flanqueadas por dos maceteros enormes cubiertos de geranios del Club de Tenis Barcelona no habían cambiado. Por ellas descendieron dos chicas en pantalón corto balanceando sus raquetas. Hacía un día espléndido.

–¿Y qué fue de los padres? ¿Lo sabes?

–Sí, sí, los sigo viendo, voy una o dos veces al año a su casa, en parte por sentido de culpabilidad, supongo. La madre murió el año pasado. Luis está bien, muy mayor, está a punto de cumplir ochenta y seis años. Tiene una salud delicada, pero todavía me reconoce y creo que se alegra de verme. No hablamos de Gema, en realidad él ya no está mucho para hablar, pero me siento a su lado, le cojo la mano y sonríe. Lo cuidan dos enfermeras por turnos y creo que tiene un sobrino que vive fuera y que lo visita de vez en cuando. ¿Quieres que te avise la próxima vez que vaya?

–Sí, claro. ¡Me encantaría! –le dije.

En realidad le encantaría a la persona que me encantaría ser, pensé. No tenemos mucho margen de maniobra, somos quienes somos, nos definen dos o tres cualidades (o defectos en algunos casos): generoso, cobarde, tolerante, bueno. Y esas dos o tres características acaban saliendo siempre a la superficie, hagas lo que hagas para evitarlo. ¡No quería ir de visita a casa de un hombre desconocido y enfermo! Entonces Isabel me enseñó una fotografía de la última vez que lo había ido a ver.

–Mira qué buen aspecto tiene –dijo.

En la imagen, un anciano envuelto en una manta de cuadros escoceses con una cabeza muy redonda y unos ojos de pajarito miraba al infinito con una sonrisa beatífica.

–Qué mono –dije. Y añadí–: Pero si justamente ese día tengo algún compromiso ineludible y no puedo ir, ¿le dirás que yo también recuerdo a Gema, y le darás un beso de mi parte?

Estaba a punto de subir al coche cuando me di cuenta de que me había olvidado de hacerle una pregunta muy importante al *proviseur*. Regresé corriendo al colegio y subí las escaleras a toda prisa.

–¡*Monsieur proviseur!* –dije al entrar precipitadamente en su despacho–. Me he olvidado de hacerle una pregunta. Yo recuerdo que unos meses después de morir Gema una profesora me contó que, algunos días, sus padres, cuando los alumnos ya se habían marchado, venían al colegio, subían a su clase y se quedaban sentados en su pupitre durante horas, hasta que se hacía de noche. Ya sé que usted no trabajaba aquí en aquella época, pero ¿cree usted que pudo ocurrir algo así? Las reglas del colegio son bastante estrictas. Mis amigas no se acuerdan, pero afirman que es imposible que la escuela lo permitiese.

Se quitó las gafas, las limpió con un pañito azul cielo que tenía a un lado de la mesa y se quedó pensativo durante unos instantes.

–*Madame,* yo no puedo decirle lo que ocurrió

porque no lo sé. Pero yo lo hubiese permitido. Sí, absolutamente.

Tenía las dos manos extendidas sobre la mesa, eran verdaderamente manos de panadero bondadoso.

Antes de salir, dirigí una vez más la mirada hacia el patio.

No había nada que ver, solo era un patio de colegio silencioso y vacío. No es que no hubiese rastro de nosotras, tampoco lo había de los niños que habían estado correteando por allí antes de las vacaciones, ni siquiera de los que lo habían cruzado hacía media hora. El viejo patio abría sus puertas con tranquilidad y apatía, sin ningún fervor, no habría fanfarria de bienvenida para mí, ni iluminación, ni epifanía. Decía: Aquí viviste, aquí ocurrió esto y aquello y lo de más allá, y luego seguí con mi vida de patio, más niños, más historias, una tras otra precipitándose hacia el olvido.

14

Observé mi escritorio con irritación. Esto está lleno de porquerías, pensé, no me extraña que me cueste tanto ponerme a trabajar. Mi mesa se había ido cubriendo de recuerdos de mi época escolar. Había comprado un ejemplar del primer libro de lectura que tuve, *Daniel et Valérie,* al descubrir que seguía editándose en el mismo formato y con el mismo texto que cuando era pequeña. No debía de haber mil maneras de aprender a leer, era como aprender a nadar o a ir en bicicleta, en cambio aprender a bailar, a escribir o a follar siempre resultaba más complicado porque en esos casos todo era una cuestión de ritmo. Imprimí la fotografía que me había mandado Sandra. La examinaba esperando que en cualquier momento Gema apareciese como por arte de magia, escondida detrás de una niña, o agazapada en algún rincón que me hubiese pasado inadvertido. Un día me di cuenta de que en la tercera fila estaba Raquel, una niña bigotuda y maligna que siempre me llamaba «pecosa asquerosa». En la fotografía, para intentar camuflar su maldad, su madre le había puesto un clip rosa en su pelo de cuervo. También había conseguido los originales de los periódicos con las esquelas de Gema, las había recortado para pegarlas en un cuaderno de recuerdos de Gema que quería hacer. Pero de momento corrían por mi escritorio como pequeños sellos siniestros, entre perfumes, libros, pintalabios, postales, tazas de café, esmaltes de uñas, velas y agendas: toda la parafernalia pueril, femenina y reconfortante de la que algunas mujeres (y algunos hombres) nos rodeábamos.

Bueno, me dije, mientras me pintaba los labios con uno de los ocho pintalabios que había desparramados por la mesa, ya pondré orden más tarde, ahora no tengo tiempo.

La editorial estaba cerca de casa, en un edificio de viviendas. Cuando entré, la recepcionista me saludó sonriendo, mientras se levantaba para ir a avisar a Paco. Creo que te está esperando, dijo. Solíamos quedar una vez al mes en la editorial o en algún restaurante para ponernos al día y chismorrear. Esta vez era yo la que lo había llamado para avisarle de que no tendría la traducción a tiempo. No estaba haciendo nada. Gema y Bruno ocupaban la mayoría de mis pensamientos. El silencio de una y el frenesí del otro me impedían concentrarme, me mantenían en un estado de agitación y de intranquilidad permanentes. Y cuando regresasen los niños dispondría de menos tiempo todavía, ¡no iba a tenerlos encerrados en casa!

La oficina estaba muy ordenada para ser una editorial, había pocos libros a la vista, las novedades se apilaban en dos montones altos como rascacielos encima de unas mesas bajas. Al pasar por delante, Paco cogió un par de libros:

–Ten, los acabamos de publicar –dijo–, te gustarán. Ven.

Lo seguí hasta su despacho, una habitación amplia y luminosa que daba a una pequeña galería con vistas a un jardín interior, selvático y muy descuidado, una mezcla polvorienta de enredaderas, helechos y árboles medio caídos.

–Sí, está un poco abandonado –dijo Paco, dejándose caer pesadamente en un sillón–. Como es de todos, nadie lo cuida, ningún vecino se quiere responsabilizar. Una vez al año viene el jardinero de la casa de al lado con un machete, lo desbroza un poco, pone matarratas y se va. Y al cabo de dos meses vuelve a estar igual. Vamos, como todo en esta vida.

—Tiene mucho encanto —dije yo.

—¿Te apetece beber algo? Si no te importa, me voy a servir un poco de vino blanco, es viernes y por hoy ya he acabado de trabajar. Abriré una lata de aceitunas. —Apoyó las manos sobre los brazos del sillón para ponerse en pie y se dirigió hacia una pequeña nevera, negra y reluciente como una caja fuerte, que tenía en un rincón del despacho—. Estoy un poco cansado —dijo.

Es la primera vez que le oigo decir que está cansado, pensé. La mayoría de la gente o está cansada siempre o no lo está nunca. Yo siempre estoy cansada, por si acaso. A pesar de que aún no eran las doce del mediodía y de que estaba en ayunas, decidí acompañarle con el vino. Había una hamaca colgada en la galería.

—¿Lees los manuscritos tumbado en la hamaca —le pregunté—. ¿No es incómodo?

—Bueno, a veces... —titubeó un poco—, en realidad es para hacer la siesta, ahora paso bastante tiempo aquí, me acabo de separar.

—¿En serio? ¿Desde cuándo? ¿Cómo es que no me lo habías contado?

—Bueno —respondió—, hace mucho que no nos vemos, eres una mujer muy ocupada.

Me eché a reír.

—Sabes que no es verdad.

—Y no coges el teléfono ni que te maten.

121

¡Claro!, pensé. Aquello lo explicaba todo: su cansancio y su aspecto un poco desaliñado –llevaba la camisa mal abotonada y hacía al menos cuatro días que no se afeitaba–, y su actitud de abatimiento generalizado.

Apenas conocía a la mujer, pero había coincido con ella en algunos actos sociales de la editorial y siempre había sido muy cariñosa conmigo.

–Vaya, lo siento –dije.

–No te preocupes. Los niños están bien, eso es lo más importante. Ha sido de mutuo acuerdo, más o menos. –Y añadió–: Aunque yo, naturalmente, habría preferido no separarme.

Se acabó el vino de un trago, se sirvió otra copa, me miró sonriendo y suspiró. ¡Qué extraño resultaba oír suspirar a aquel hombre tan resuelto! A veces oía suspirar a mi hijo mayor en su habitación, antes de arrancar una pieza de piano, un suspiro largo y pausado. Y recordaba a mi madre recitando el poema de Rubén Darío cada vez que me oía suspirar a mí, lo que ocurría bastante a menudo: «La princesa está triste... ¿Qué tendrá la princesa? Los suspiros se escapan de su boca de fresa.»

–¿Y tú cómo estás? –me preguntó–. Así que estás un poco retrasada con nuestra traducción, ¿verdad?

–Sí, sí, intentaré tenerla para principios de octubre, si te parece bien.

122

—Ya me lo imaginaba... –respondió–. No te preocupes. ¿Te puedo preguntar una cosa?

—¡Sí, claro!

En aquel momento su secretaria asomó la cabeza por la puerta para avisar de que se iba a comer.

«¿Te puedo preguntar una cosa?» Francamente, no era muy partidaria de aquella pregunta. Me parecía que, bajo sus visos de consideración y de delicadeza, se escondían siempre una impertinencia y un comienzo de chantaje y de forcejeo. Los desconocidos pelmas siempre te preguntan si te pueden preguntar una cosa, y los novios pelmas siempre te preguntan en qué estás pensando. Se acercan sigilosamente y a traición por detrás del sofá, y cuando ya es demasiado tarde para hacerte la dormida, te miran con arrobo y te susurran: «¿En qué piensas?» ¡Oh, qué molesto resultaba aquello! Era el equivalente del «me aburro» de los niños pequeños.

Pero el pobre Paco se acababa de separar, ¿qué le iba a decir? ¿Te puedo preguntar una cosa? ¡Claro que sí!

—Dime, ¿por qué no estás de vacaciones con ese novio tan glamouroso y fantástico que tienes? –Y sin darme tiempo a responder añadió–: ¿Sabes que la primera vez que te vi me enamoré un poco de ti? Incluso recuerdo la blusa que llevabas, de seda color mostaza, un poco transparente, con unos dibujitos azules. Pensé: Esta chica...

No me acordaba. Si alguien me hubiese preguntado cinco minutos antes en qué circunstancias había conocido a Paco habría sido incapaz de responder. Sin embargo, en el mismo instante en que mi amigo empezó a contarme la escena, esta emergió ante mí con una nitidez absoluta, como si su recuerdo hubiese tirado del mío haciéndolo subir a la superficie desde el fondo del mar. Recordé el restaurante, estaba al lado de la editorial donde yo trabajaba en aquel momento, tenía un patio trasero con un árbol que daba flores de un rosa muy pálido, casi blancas. Y también recordaba la blusa, claro. La había comprado en París. Era cierto que me había parecido que Paco la observaba con mucha atención. Fue mi camisa favorita durante años, la llevaba también el día que me reencontré en la puerta del teatro con Víctor, el padre de mi hijo pequeño, después de un trayecto en taxi hasta Montjuic que se me hizo a la vez eterno y muy corto, como todas las cosas importantes. Me pregunté si él la recordaría.

—Eso no significa nada —dije—. Uno se enamora de toda la gente con la que se cruza, aunque sea solo durante un nanosegundo. Luego se nos pasa y nos olvidamos, pero durante un instante, todos hemos estado enamorados de todos. Es normal.

–¿Tú crees? –respondió pensativo.

Llevaba unas deportivas de tela muy viejas, se subió los calcetines –blancos, con una raya azul y una roja en la parte superior, como los que utilizábamos de niños para hacer deporte–, asegurándose de que estuviesen bien estirados, y se ató y desató los cordones varias veces.

–La verdad es que no me he ido de vacaciones con Bruno porque no me apetecía –dije–, aunque a él le haya dicho que me quedaba para trabajar. –Y añadí–: Estoy en medio de una investigación.

Se echó a reír.

–Una investigación, ¿eh? ¿Te refieres a que ya tienes a alguien en la lista de espera?

–Yo no tengo nunca a nadie en lista de espera –respondí–, ni siquiera tengo lista de espera, no soy tan ordinaria. Y además no soy un hombre –añadí.

–Lo sé, lo sé. No te enfades, anda. Ya sé que eres un alma pura e íntegra. Cuéntame qué haces entonces sola en la ciudad. ¿Qué es eso de la investigación?

–¡Vaya historia! –murmuró cuando acabé de contarle el asunto de Gema–. Yo fui al San Ignacio, así que por desgracia no la conocí, pero ¿cómo has dicho que se llamaba el restaurante de sus padres?

–Marcel.

Se puso las gafas de cerca y abrió el ordenador.

–Marcel. Marcel. Me suena mucho ese nombre.

–También es el nombre de un escritor muy famoso.

Se echó a reír.

–¡No me digas!

–Igual fuiste con tus padres de pequeño, era un restaurante muy bueno y bastante conocido, no estaba lejos de aquí.

–Espera un momento. Mis padres tenían un amigo que era crítico gastronómico en aquella época, incluso llegué a publicarle un libro hace unos años, tal vez él recuerde algo. –Y me tendió un papelito con un nombre, Jordi Sardo, y una dirección de email.

–¿Y cómo sabes que está vivo?

–Porque sigue escribiendo en la prensa de vez en cuando y cada año nos manda una felicitación de Navidad. Se fue a vivir a Galicia, creo.

Me acompañó hasta la puerta de la editorial.

–Perdona, es que he quedado con una amiga psiquiatra para comer, tengo un poco de prisa –dijo–. Quedamos otro día, ¿te parece? Y avísame si descubres algo más sobre tu amiga, me gustará mucho saber cómo van tus investigaciones.

Le oí reír mientras cerraba la puerta, había bebido mucho vino.

15

Al salir de la editorial, vi que tenía un montón de mensajes de Bruno. Utilizaba la vieja estratagema de decirme «te quiero» para que yo tuviese que responderle lo mismo. «Te quiero» no son dos palabras, sino cuatro: «te quiero-te quiero». ¡Pero yo no podía permitirme seguir devaluando mis «te quiero»! Eran mi única moneda de cambio. Sin aquello –sin poder decir «te quiero» cuando me viniese en gana, cuando fuese irresistiblemente cierto, cuando las palabras se escapasen de mi boca sin ningún control, como las perlas y las culebras del cuento de Perrault–, no tenía nada, mi ruina estaba asegurada.

–¡Oh, Bruno! –murmuré para mis adentros mientras leía sus mensajes–. ¿No ves que hemos sido expulsados de la cueva de Alí Babá? ¿No ves que la contraseña secreta «te quiero-te quiero» no volverá a abrir ninguna puerta mágica para nosotros?

Respondí a su «te quiero» con un «yo también». Aquello era otra estratagema, claro, me parecía que sustituyendo un «te quiero» por un «yo también» me comprometía menos. Que así la traición a los dioses –Zeus, Afrodita, Apolo, daba igual, todos se metían en formidables embrollos amorosos– que me observaban desde el cielo, frunciendo el ceño desde hacía meses, era menos grave. Mi comportamiento amoroso había sido ejemplar hasta entonces: nunca decía «te quiero» sin que fuese cierto, nunca salía más de una semana o dos con un hombre del que no estuviese enamorada. Y siempre estaba enamorada. ¿Qué había ocurrido?

Llamé a Beatriz para preguntárselo («Durante unos días deseaste tener una relación que te aportase estabilidad, calma y orden, que era lo que Bruno, a pesar de ser actor, te ofrecía, pero al cabo de una semana ya estabas aburrida. Tal vez sigas deseando esas cosas, no lo sé, pero con Bruno hay demasiado desequilibrio, no te lo has tomado en serio ni un minuto») y para ver si quería comer o cenar conmigo. Tal vez ya se haya arreglado el diente, pensé.

Pero volvía a estar en casa de su madre.

–¿Por qué no vienes a comer o a tomar un café? Luego jugaremos una partidita de póquer. ¡Ven a que te desplumemos, anda! Mamá es imbatible, me iría bien tener refuerzos. –Y añadió en voz baja–: Está muy cansada, es por el calor, los primeros días de verano son durísimos para la gente mayor, seguro que en menos de una hora se va a su cuarto a descansar y nos podemos quedar las dos a solas charlando. He visto que en la cocina hay una botella de *grappa*.

Vaya, últimamente solo me invitan a ir a visitar a viejos, pensé.

–No, no, gracias, tengo la traducción retrasadísima. Otro día, ¿de acuerdo?

No conocía a la madre de Beatriz. La había visto una vez por la calle, hacía muchos años: una mujer menuda, vestida con sencillez, con una mirada perspicaz y un poco enjuiciadora tal vez, creo que se dedicaba a la psicología infantil. Pero sí que conocía el desierto de la vejez y de la enfermedad, lo había transitado con mi madre. Temía regresar a aquel lugar, reencontrarme con mi madre enferma, cuando por fin había sido capaz de imaginármela canturreando y recorriendo prados floridos. Mi madre, que detestaba la campiña.

–Sí, claro, no te preocupes, nos vemos otro día –respondió.

Pasé la tarde traduciendo, y cuando acabé, me puse a escribir al amigo de los padres de Paco:

Estimado señor Sardo:

No nos conocemos, me ha pasado su email nuestro común amigo Paco Trías. Mi consulta no tiene nada que ver con él y tal vez le parezca un poco estrambótica, le pido disculpas de antemano. Hace unas semanas fui a parar por casualidad a un restaurante en la calle Manel Girona, al lado del Liceo Francés, en Pedralbes. Ya no recuerdo cómo se llamaba, pero cenamos muy bien, aunque debo confesarle que no soy ninguna experta, me alimento de forma muy sencilla y considero que hay pocas conversaciones más soporíferas que las que giran en torno a la comida. Para algunas personas de mi generación y de generaciones anteriores –gracias a Dios, los jóvenes son más listos– la gastronomía parece haber sustituido al sexo como hobby. Cuando veo a gente de mi edad reunida en torno a una mesa durante horas en algún restaurante de postín, no puedo evitar pensar en lo deprisa que pasa la vida y en lo que debería estar sucediendo debajo de la mesa, con tantas piernas, rodillas y pies. Pero me estoy yendo por las ramas, discúlpeme. La cuestión es que casi de inmediato me di cuenta de que ya había estado allí muchos años antes. El restaurante original se llamaba Marcel y los dueños eran los padres de mi amiga Gema. Me pregunto si usted, en su labor de crítico gastronómico, lo frecuentó. Creo recordar que era un restaurante de cierto renombre. Mi amiga murió de leucemia a los quince años y poco después Marcel cerró sus puertas. No estuve muy presente durante su enfermedad y su muerte. Habíamos sido amigas en la infancia, pero en aquel momento ya no nos tratábamos mucho, ni siquiera íbamos a la misma clase, además ella era más de ciencias (aunque sacaba sobresalientes en todas las materias) y yo de letras. ¡Y fue todo tan rápido y repentino! Lo más probable es que usted no recuerde nada, tal vez ni siquiera sepa de qué restaurante le estoy hablando. Pero Paco me ha dado esperanzas. Ojalá pudiese decirme qué ocurrió después de la muerte de Gema y cómo fueron aquellos tiempos tan lejanos.

Le mando un cordial saludo y quedo a la espera de sus noticias, si las hubiese.

Y firmé con mi nombre y apellidos.

Antes de acostarme recibí otro mensaje de Bruno en el que me deseaba dulces sueños y me mandaba una foto muy bonita de una puesta de sol sobre el mar. Cedí y le respondí con las dos fatídicas palabras: te quiero.

Te estás convirtiendo en una floja, pensé antes de cerrar los ojos.

131

16

Al cabo de unos días, Bruno, aburrido de las islas y alegando que tenía que aprenderse un guión, regresó a Barcelona. No fui a buscarle al aeropuerto como hacía siempre.

—Todo el mundo estará saliendo de Barcelona para ir a pasar el fin de semana a la playa —me excusé—. Habrá un tráfico terrible.

—Claro, no te preocupes, cogeré un taxi.

Dos horas más tarde se presentó en casa cargado de ensaimadas y de regalos. Virginia le había acompañado a la joyería de una amiga suya que, después de unos años entre Nueva York y la India, donde compraba las piedras y fabricaba alguno de sus diseños, se había instalado en una tiendecita del casco antiguo de Mallorca.

—Nos volvimos un poco locos —dijo colocando seis cajitas idénticas, rectangulares y de un gris azulado sobre la mesa. Contenían unas pulseras de diminutas cuentas de piedras semipreciosas que se ajustaban a la muñeca con una pequeña borla que escondía un nudo corredizo. Eran muy bonitas.

—Te has pasado —dije sonriendo—, es demasiado.

Pero no lo pensaba, claro. Nunca nada es demasiado, demasiado es genial y maravilloso. El problema es siempre el demasiado poco. Agité las pulseras.

—Ya le has puesto el cascabel al gato, ¿eh?

Estaba moreno y tenía muy buen aspecto. Bruno se ponía moreno en cinco minutos. Sentí un pequeño estremecimiento, pero era un estremecimiento genérico, no tenía nada que ver con él. No era un escalofrío de deseo sino de admiración y de sorpresa, como cuando íbamos a Cap de Creus y de repente las luces del coche iluminaban a un pequeño zorro asomando la cabeza por entre las rocas: ¡Oh, mira! ¡Un zorro! ¡Mira! ¡Un hombre! Como cuando Miranda en *La tempestad* se encontraba con Ferdinand. Nada, ni los años, ni los hijos, ni los maridos, ni los amigos hombres habían logrado acallar aquel deslumbramiento infantil que un gesto o un movimiento masculino cualquiera podían despertar de pronto en mí. ¡Un hombre!

Entonces se acercó y me besó, y yo le abracé hundiendo mi rostro en su cuello dorado y tibio. No insistió.

133

—Llevo días durmiendo mal —me excusé.

—¿Quieres salir a dar un paseo? Me estoy quedando sin tabaco. Y así hablamos un poco —dijo.

—Sí, claro.

Entonces me di cuenta de que llevaba los vaqueros que según Sandra no me favorecían en absoluto. Que me dejase de querer por insoportable y egoísta pase, pero por ir mal vestida ni en broma.

—Me voy a cambiar, espera.

Me puse un vestido negro sin mangas que le gustaba mucho.

—Estás muy guapa —murmuró.

Había poca gente en la calle, todo el mundo aprovechaba los primeros fines de semana del verano para salir de la ciudad. Nos dirigimos hacia el único estanco del barrio que estaba abierto los sábados por la tarde.

Caminamos cogidos de la mano durante unos cuantos metros, pero era incómodo, nos sudaban las manos. Si de verdad quisiésemos ir cogidos de la mano, no nos sudarían, pensé, el sudor de las manos es psicológico, él también se ha cansado de mí. Entonces me pasó un brazo por encima de los hombros, pero íbamos con el paso cambiado, cuando él subía, yo bajaba, y mi bolso se interponía entre nosotros. Sacudí levemente la cabeza, me aparté un poco de su lado y me volvió a soltar.

Entonces se detuvo un momento para encender un cigarrillo y lo miré. Hasta aquel momento habíamos estado caminando el uno al lado del otro, mirándonos de reojo para intentar averiguar quién iba a empezar a hablar primero. Vi cómo encendía el cigarrillo con aquel gesto raudo y característico que le había visto hacer un millón de veces. Inclinó levemente la cabeza hacia un lado con el pitillo entre los labios, ahuecó la mano derecha, accionó la rueda y el pulsador, apareció la llama azulada y aspiró la primera bocanada mientras se le marcaban los pómulos. Entonces tuve la sensación física de que se separaba de mí. Sentí como si su persona hasta ese momento hubiese estado adherida a la mía y se estuviese despegando, centímetro a centímetro, como cuando separamos una pegatina del papel. Vi su silueta, como una delicada figura de papel, separarse de la mía y desdoblarse: de nuevo éramos dos. Bruno volvía a estar ante mí, el mundo desértico y lleno de posibilidades. Lo vi como si lo viese por primera vez y me pregunté cuántas veces a lo largo de una relación o de una vida vemos a una persona conocida por primera vez. Sabía la respuesta: cada vez que, durante unos segundos o para siempre, la dejábamos de amar. Hombres que casi tocaban el cielo se volvían liliputienses, torsos parecidos a hermosos troncos de árboles centenarios se abultaban y deformaban

135

incomprensiblemente, silencios profundos se volvían una señal inequívoca de vacuidad y de falta de imaginación. Y no solo eso: las camisetas de algodón del ser amado que nos habíamos puesto durante tantas noches para dormir de pronto nos irritaban la piel, sus vaqueros viejos favoritos se transformaban en pingajos asquerosos que había que tirar a la basura. Y aquel desmoronamiento no solo tenía lugar en nuestra imaginación, ocurría también ante los ojos del otro, que, sin poder hacer nada para remediarlo, iba siendo desposeído de partes de su propio cuerpo y de su personalidad que iban cayendo al suelo y rompiéndose en mil pedazos.

—Tenemos que hablar. ¿No crees? —dijo por fin—. Tú ya no tienes ganas de verme ni de estar conmigo. Pensaba que tal vez, si me iba unos días, nos reencontraríamos con más ganas. ¿Por qué crees que me he ido a pasar estas dos semanas a Mallorca con Virginia, que, por cierto, es una persona estupenda?

Le cogí el cigarrillo, le di una calada y se lo devolví.

—Pues no sé, ¿para disfrutar del mar y del paisaje?

Fingió no oírme y prosiguió.

—Yo no puedo estar cada día a la expectativa de si tú tienes ganas o no de verme o de hablar conmigo o de que nos vayamos a la cama, no puede ser. ¿Lo entiendes?

—Sí, sí, claro, claro que lo entiendo, no puede ser. Pero tú tienes que entender que yo no me puedo forzar a hacer algo que no me apetece.

Nos encaminamos hacia casa.

—El problema es que tú no quieres tener una relación de pareja, reconócelo. Crees que quieres, pero no es cierto.

Pensé en las palabras de Beatriz.

—Tal vez tengas razón —dije—. Por un lado me encantaría tener una relación, pero por otro lado me resulta muy difícil, es verdad.

Encendió otro cigarrillo.

—No te ofendas, pero creo que te iría muy bien hacer un poco de terapia —dijo.

—Pero ¡si ya he ido a terapia! —exclamé—. Durante dos años, te lo conté.

—Sí, sí, es verdad. ¡Pues más! En serio, estarías mucho mejor. Yo te esperaré.

Me pregunto si este es el típico caso de que vas a romper con alguien y al final es el otro el que rompe contigo, pensé.

Habíamos llegado a casa.

—Bueno —dijo Bruno—, no voy a subir. Hablamos, ¿vale?

—Sí, hablamos, claro.

Se subió a la moto y cuando estaba a punto de ponerse el casco, me acerqué y le abracé.

Por la noche, cené un trozo de ensaimada. Corté el resto a trocitos y se los bajé a la gata pelirroja que vivía en mi calle, y que en secreto pensaba que era la reencarnación de mi madre.

17

–¿Puedo subir? –me preguntó Víctor.

–Sí, claro –respondí.

¡Qué sorpresa y qué raro!, pensé mientras les abría la puerta, si nunca sube, siempre deja a Óscar en el portal.

Marc había llegado el día anterior, como ya era mayor, bajaba solo en autobús desde casa de su padre.

–¡Oh! ¡Cómo has crecido y qué guapo estás! –le dije a Óscar.

–Ya –respondió, pero parecía muy contento de verme.

Víctor se había cortado el pelo y llevaba unas deportivas nuevas. Debe de estar enamorado, pensé. Muchos hombres van al peluquero cuando tienen una cita y muchas mujeres llevan el coche a lavar cuando tienen un novio nuevo.

—¿Qué tal estás? ¿Cómo va la traducción? ¿Has conseguido trabajar? —me preguntó risueño.

—Bueno, sí, voy avanzando.

Oí a Marc reír en su cuarto y vi cómo Óscar se disponía a reorganizar los módulos del sofá para instalarse a jugar al fútbol en la televisión. Habían dejado las mochilas tiradas en el recibidor.

Se sentó en el brazo del sillón.

—¿Y qué más has estado haciendo estos días?

—He seguido con mi investigación —dije.

—¿Qué investigación?

—Sí, hombre, lo de mi amiga del colegio, ¡Gema!

Le señalé la fotografía de la clase que tenía sobre el escritorio.

La observó durante un momento y se echó a reír.

—¡Tú estás igual! —dijo—, la mano retorcida hacia dentro, la cara de asco de cuando algo te disgusta, ¡cuántas veces he tenido ganas de matarte al verte poner esa cara!

—No ponía ninguna cara de asco, era por el sol.

—Las pecas... ¿Cuál de ellas es Gema?

—No, Gema justamente ese día no estaba, se había puesto enferma.

—¡Vaya! ¡Qué mala pata! No será una amiga imaginaria, ¿verdad?

Le lancé una mirada asesina.

—Ahora en serio, ¿has averiguado lo que querías saber?

—Creo que no —contesté—. Quería saber si la vi una última vez en el patio del colegio y nadie me lo ha podido corroborar.

—Pero tú sabes que la viste, ¿no?

—Sí.

—Pues eso debería ser suficiente. —Se puso en pie—. Me tengo que ir a trabajar. ¿Qué vais a hacer para las vacaciones? —preguntó.

—Creo que nos iremos unos días a Grecia, hay billetes de avión baratísimos, a bañarnos y a visitar ruinas.

—Es muy buen plan —dijo—. Yo tal vez me vaya a Roma, unos amigos me han ofrecido su piso.

Le acompañé hasta la puerta.

—Una cosa: ¿por casualidad te acuerdas de la camisa que llevaba el día que nos volvimos a encontrar?

—Claro que me acuerdo, pequeña. Me acuerdo de todo lo que ocurrió ese día. Llevabas una blusa amarilla, de seda, con un estampado. Y una minifalda y unos zapatos de medio tacón. Recuerdo estar esperándote en la puerta del Mercat de les Flors y ver cómo bajabas aquel trocito de rampa sonriéndome.

—Sí, era mi camisa favorita.

—Recuerdo también cómo casi nos besamos en el entreacto y la pizzería donde cenamos, al lado del teatro. ¿Por qué me lo preguntas?

No dije nada y prosiguió.

—Y recuerdo que yo llevaba una camiseta azul y que me había ido a cortar el pelo el día anterior.

—¿Sí? Como hoy —dije.

Sonrió.

—Un hombre tiene que cortarse el pelo de vez en cuando, ¿no?

Pasé el resto de la tarde organizando el viaje. En el último momento encontré unos billetes de avión a muy buen precio para el día siguiente. También reservé una habitación para los tres con vistas al Partenón en un hotel que conocía. Los chicos estaban excitadísimos:

—¿Cuántos días vamos?

—¿Me puedes lavar la ropa ahora?

—¿Cómo es el hotel?

—No encuentro mis chanclas.

—¿Me puedo llevar el ordenador?

—Yo no pienso dormir con este apestoso.

—¿Podré ver a mis amigos antes de marcharme?

Cuando por fin se fueron a dormir, abrí el ordenador. Tenía una respuesta del señor Sardo.

Estimada amiga:

Como soy mucho mayor que tú, me permito el tuteo. Antes de nada, quisiera agradecerte tus interesantes observaciones sobre la vida y la gastronomía. Solo las comparto parcialmente, pero si algún día tengo el placer de conocerte, prometo intentar que cambies de opinión, o al menos invitarte a compartir un almuerzo como Dios manda en algún restaurante agradable.

Podría contarte la historia de los Álvarez a partir de las dulces verdades de ahora, que son medias verdades. Pero como he leído lo suficiente de ti para saber que no te asustas fácilmente, paso a explicarte que Gema me apreciaba mucho desde el momento en que, siendo yo presidente del jurado de un concurso de cocina, sus padres recibieran el primer premio, consistente en una pasta y una semana en París a dúo, visitando a los grandes. Tu amiga era lo suficientemente inteligente como para darse cuenta de que en un momento en que triunfaban los restaurantes de diseño llenos de gente guapa, el restaurante de sus papis tenía un futuro duro, a pesar de que Luis Álvarez es uno de los mejores cocineros que he conocido. Una vez ganado el premio, monté unas comidas semanales en las que nos reuníamos todo tipo de bichos, escritores, periodistas, dibujantes, etc. Poco tiempo después enfermó tu amiga. La visité treinta horas antes de su fallecimiento en un siniestro hospital regentado por monjas que entraban y salían con el desparpajo que se adquiere tras largos años de tratar con el demonio. Luis es absolutamente cristiano, en el más noble aspecto que pueda originar este pensamiento. Era terrible observar cómo mantenía esperanzas cuando estas eran imposibles. El día del entierro fue otra fecha siniestra de la que recuerdo las caritas llorosas de los compañeros. Probablemente una de ellas era la tuya.

Pero las desgracias continuaron. El *maître* del Marcel murió en un accidente de coche cuando regresaba a su domicilio después del servicio de noche. Doy fe de que no tomaba ni una copa. Era abstemio, un problema en su trabajo que resolvía interrogándome sobre todos los vinos habidos y por haber, tomando notas como un alumno fiel. Era como un hijo para Luis, en el más estricto sentido emocional del término. Otro drama al que se añadió, lógico, un ictus de gran magnitud que dejó a Luis en un estado catastrófico. Poco tiempo después alquilaron el restaurante y vendieron el almacén y sus vinos. Un año más tarde, ante los impagos de la sociedad que había alquilado Marcel, decidieron vender, para vivir en su piso de propiedad situado sobre el establecimiento. Estaba comenzando a vivir de nuevo, tras tanto zarpazo, cuando Juanita, la esposa, sufrió un accidente en un autobús urbano. Nunca he llegado a saber si fue esta la causa de que enfermara rápidamente. Ella lo decía, pero a mí me da toda la impresión de que se trataba, al margen del accidente, de un problema neuronal degenerativo. Juana murió el pasado mes de diciembre. No hace mucho intenté hablar con Luis. Es una vocecita perdida entre recuerdos, incapaz de entender lo que le cuentas, siempre bajo esa beatitud adquirida gracias a su fe.

Este sería el relato principal, siempre bajo el recuerdo de la cara de Virgen del románico aragonés que tenía tu amiga, la de los ojos chispeantes y maliciosos.

Lamento tener que escribir de estas historias, pero he sido obediente con tus deseos.

Como puede ser que haya otros temas que hayan quedado en el tintero, porque no les he dado importancia y para ti puedan tenerla, puedes llamarme a mi móvil: 660 567 77.

Un abrazo,
Jordi

Le respondí aquella misma noche dándole las gracias y aceptando su invitación a comer. No iba a llamarle, me parecía que no había nada más que preguntar. Era posible que no averiguase nunca si había visto a Gema aquella última vez en el patio del colegio. O tal vez un día, al cabo de un año o de veinte, me encontrase con alguien que también la hubiese visto. Pero ¿quién podría asegurarme entonces que aquella persona no se lo había imaginado también? Vamos a tientas, pensé. Y me fui a dormir dejando la luz del baño encendida.

18

Al día siguiente, mientras acabábamos de hacer las maletas, recibí un mensaje de Beatriz:

«Querida, ya sé que estas cosas no te gustan demasiado, pero quería avisarte de que mi madre falleció ayer por la mañana. La ceremonia de despedida tendrá lugar hoy en el tanatorio de San Gervasio a las doce del mediodía. No te preocupes, no hace falta que vengas, pero no quería que te enterases por otra persona. Espero que estés bien. Un beso.»

Miré el reloj. Eran las once. Nuestro avión sale a las tres. No puedo ir, no tengo tiempo, la maleta está a medio hacer, me dije mirando los montones de ropa de verano esparcidas a mi alrededor. ¡Vaya desastre! ¿Y el tanatorio? El tanatorio... Cogí el móvil y abrí la aplicación de los mapas. Creo que está cerca... Sí, sí, está aquí al lado, pero seguro que me perderé. Dicen que es sencillísimo, pero yo no me aclaro con esta aplicación, nunca sé si soy el puntito rojo o el azul. ¿Qué voy a hacer? Me senté en la cama. Y si cojo un taxi, el taxista se enfadará conmigo por hacerle parar para una carrera tan corta. De todos modos, seguro que hay mucha gente, es una familia muy querida. Y Beatriz me ha dicho que no hacía falta que fuese. Me miré la punta de los pies, todavía tenía que pintarme las uñas. Y casi no he dormido, toda la noche pensando en la carta del señor Sardo. Miré el reloj: las once y media. No había tiempo y no tenía nada que ponerme.

Me puse a doblar un traje de baño hasta que se volvió tan pequeño que me cabía en la palma de la mano.

–¡Niños! –grité de pronto poniéndome de pie–. ¡Me voy! ¡No tardaré! Acabad de hacer vuestras maletas.

–¿Quéee? ¡Mamá! –protestaron los dos–, pero si no encuentro mis pantalones cortos y todavía no he desayunado y aún hay ropa en la lavadora, perderemos el avión.

–No, no lo perderemos. Hay tiempo. Marc, imprime los billetes y hazle el desayuno a tu hermano, por favor. Óscar, mira en el cajón de abajo del armario.

Sustituí el pantalón del pijama por los vaqueros demasiado grandes que a Sandra no le gustaban,

148

me puse una de las camisetas que utilizaba para hacer yoga y salí corriendo de casa.

No había estado a la altura de ninguna de mis muertes, pero tal vez podía estar a la altura de una de las muertes de mi amiga.

Llegué al tanatorio cuando la ceremonia estaba a punto de empezar. Había muchísima gente. Al entrar vi a Marta con unos amigos y la saludé desde lejos. Me senté en la última fila, como en el funeral de Gema, al lado de una pared acristalada que daba a un pequeño jardín donde fumaban unos chicos jóvenes. Es la primera vez que asisto al funeral de una desconocida, pensé. Entonces salió un cura y habló de la madre de Beatriz, de la muerte y del género humano. Después salió mi amiga y compartió con nosotros algunos recuerdos de su madre. Y por primera vez en mi vida escuché lo que decían. Había ido a unos cuantos funerales, pero en unos estaba demasiado afligida para oír nada y en otros era tan consciente de que se trataba de un acto social que no había prestado atención a los discursos. Y cuando el cura pidió que nos levantásemos, me pareció que no me ponía en pie por obligación, sino por respeto, por Beatriz, por su madre y por todos los que estábamos allí. Es la primera vez que me despido de verdad de un muerto y ni siquiera lo conocía, pensé.

Cuando acabó la ceremonia, nos reunimos en el jardincito que había visto a través de la cristalera. Me puse a hablar con unas exalumnas del Liceo que me presentaron a los primos de Beatriz, parecían verdaderamente desolados. Entonces vi a mi amiga. Hacía sol, íbamos vestidas de verano, estaba rodeada de gente, me alejé del grupito con el que estaba charlando y me dirigí hacia ella. En aquel momento, giró su cuello largo y fino hacia mí y me sonrió.

–Has venido –dijo.

–Claro. ¡Cómo no iba a venir!

Y por fin salí del patio.

Barcelona, septiembre de 2020

AGRADECIMIENTOS

Quería dar las gracias a Anna Soler-Pont, mi agente, por su paciencia inagotable, por su confianza en mí y por encontrar siempre una solución a todos los problemas.

También a mis editores, Jorge Herralde y Silvia Sesé, por no mentirme y por empujarme a ir más lejos, sin ellos este libro no existiría. A Joan Carles Girbés por sus comentarios, generosos, agudos y pertinentes.

Y a los amigos que compartieron conmigo sus recuerdos de Gema: Sandra Capdevila, Isabel Algara, Teresa Corbella, Inés Coll, Ada Moya, Anna Arranz, Isa Elias, Miquel Sen y Karina Botbol.